TRAVAILLONS DANS
LA JOIE
AVEC DILBERT
Comment trouver le bonheur
aux dépens
de vos collègues

SCOTT ADAMS

TRAVAILLONS DANS LA JOIE

AVEC DILBERT
Comment trouver le bonheur
*aux dépens
de vos collègues*

Traduit de l'anglais (États-Unis)
par Maxime Chavanne

First
Editions

Savoir pour agir.

ISBN 2-87691-465-4.
Dépôt légal : 4e trimestre 1998.

Nous nous efforçons de publier des ouvrages qui correspondent à vos attentes et votre satisfaction est pour nous une priorité.
Alors, n'hésitez pas à nous faire part de vos commentaires à :

Éditions Générales First
13-15, rue Buffon
75005 Paris – France
Tél. : 01 55 43 25 25
Fax : 01 55 43 25 20
Minitel : 3615 AC3*FIRST
Internet e-mail : firstinfo@efirst.com
En avant-première, nos prochaines parutions, des résumés de tous les ouvrages du catalogue. Dialoguez en toute liberté avec nos auteurs et nos éditeurs. Tout cela et bien plus sur Internet à : www.efirst.com

Ce livre est dédié aux gens merveilleux
qui, grâce à leurs suggestions, leurs anecdotes et leurs
observations, ont contribué à rendre célèbres les
bandes dessinées et les livres de Dilbert.
Ainsi qu'à Pam.

DU MÊME AUTEUR

Le Principe de Dilbert
(First, 1997)

Dogbert : Méthodes ultra-secrètes pour diriger une entreprise
(First, 1997)

*Dilbert : Prophéties pour l'An 2000,
le XXIe siècle sera crétin ou ne sera pas*
(First, 1998)

Sommaire

Précision importante au sujet de cet ouvrage

Si vous avez l'intention de lire ce livre durant vos heures de travail, retournez la jaquette de couverture vers l'intérieur.

1

Travaillons dans la joie

J'ai pleuré parce que je n'avais pas droit à un vrai bureau avec une porte, jusqu'au jour où j'ai rencontré un homme qui n'avait même pas droit à une cellule de travail.

DILBERT

Peut-être avez-vous entendu parler de ce que l'on appelle l'aménagement de l'espace de travail en « bureaux paysagers ». Cela a nourri bien des débats, ces temps derniers. Dans un tel agencement, les salariés n'ont ni bureau ni « cellule de travail », mais seulement des postes de travail disposés dans un grand espace ouvert. Les coins rangement sont virtuellement éliminés. Cette tendance n'est pas bonne.

Une fois que votre chef vous aura supprimé votre porte, vos cloisons et vos coins rangement, il restera peu d'options pour la prochaine révolution en matière d'aménagement de bureaux. L'un des éléments suivants risque fort d'être le prochain sur la liste :

▶ Le sol

▶ Le plafond

▶ Votre bonheur

Je pense que le sol restera, pour la seule et unique raison que votre entreprise devrait creuser un gigantesque trou jusqu'à l'autre extrémité du globe pour s'en débarrasser. Vous vous en doutez, un gigantesque trou perçant la Terre de part en part constituerait une menace certaine pour la productivité de l'entreprise. Selon l'endroit du globe où vous vous trouveriez, il pourrait bien se trouver de l'autre côté de la planète des hordes de réfugiés pour s'engouffrer dans le trou, jeter un œil sur votre bureau, hurler d'effroi, et repartir chez eux en courant. On a déjà du mal à se concentrer lorsque tout autour de soi les collègues braillent, alors, si on y ajoutait des hordes de réfugiés hurlants sortant d'un trou, les choses ne feraient qu'empirer. Sans parler des problèmes de lave pétrifiée ou du fait que, si l'on ponctionnait la Terre, toute la pesanteur risquerait de s'en échapper.

Votre entreprise ne vous supprimera pas votre plafond. Un plafond est nécessaire pour éviter que les gens situés aux étages supérieurs ne vous tombent sur la tête. La seule exception concerne les gens du dernier étage de l'immeuble, c'est-à-dire ceux-là mêmes qui ont donné des instructions pour que votre cellule de travail soit démontée. Eux aussi garderont leur plafond, parce qu'une loi veut que toute incommodité qui rend un salarié PLUS productif rend, à l'exact inverse, un top-manager MOINS productif. Nul ne sait pourquoi.

Je pense que la prochaine vague en matière d'aménagement de bureaux dans l'entreprise se fixera comme priorité l'élimination du dernier obstacle à la productivité : votre bonheur. À l'inverse des cloisons et des portes, le bonheur n'est pas quelque chose de physique. Mais le lien de parenté est proche. Les managers savent que s'ils arrivent à éliminer toute trace de bonheur chez un salarié, ce salarié fera moins le difficile quant à son environnement physique de travail. Lorsque l'on est au bord du désespoir, on n'a plus guère le cœur à venir se plaindre si notre chef nous roule en boule pour nous tasser au fond d'une boîte en carton.

Dès l'instant où j'ai pris conscience de cette inquiétante menace pesant sur le bonheur du salarié sur son lieu de travail, je me suis lancé dans des recherches, et j'ai découvert que l'aménagement des bureaux n'était pas l'unique source du problème. Les entreprises étaient en train de lancer un assaut frontal et direct sur le bonheur des salariés par tous les moyens possibles et imaginables ! Et une seule chose, j'en avais la conviction, était susceptible de mettre un terme à l'horreur.

L'heure d'écrire un nouveau *Dilbert* avait sonné.

Cela pourra sembler nunuche, mais je me sens redevable envers la société. On m'a souvent dit qu'il était temps pour moi de « donner quelque chose en retour à la communauté ». J'en fus ébranlé. Jusqu'au jour où j'ai réalisé que personne ne sait que j'ai meublé ma maison de panneaux de signalisation et de bancs publics. J'ai donc interprété ce « donner quelque chose en retour à la communauté » comme une supplique m'enjoignant d'écrire ce livre, pour ensuite sommer la communauté de le lire.

Au cours de la première partie de cet ouvrage, je vous dirai comment trouver votre bonheur au détriment de vos collègues, de vos supérieurs hiérarchiques, de vos clients et – mieux encore – de ces gros fainéants d'actionnaires. La seconde partie vous enseignera mes techniques ultra-secrètes pour faire surgir l'humour de situations ordinaires, ce qui vous facilitera le travail pour tourner en ridicule votre entourage. La troisième partie est intégralement constituée de pages invisibles. Alors si vous trouvez ce livre plus lourd qu'il n'en a l'air, ne soyez pas surpris.

▶ LE BONHEUR FAIT L'ARGENT

Ces dernières années, les grandes entreprises ont réactivé une théorie économique passée de mode depuis des centaines d'années. Cela donne à peu près ceci :

Théorie économique des années 90

Tout ce qui rend le salarié malheureux fait monter le cours de l'action

L'économie étant un domaine obscur, dès que l'on trouve quelque chose de facile à comprendre, on a tendance à s'y accrocher. On ne va pas jeter la pierre aux managers qui en sont arrivés à la conclusion que le bonheur des salariés est inversement proportionnel au cours de l'action. C'est là une évidence qu'il est impossible d'ignorer.

Trucs qui rendent le salarié malheureux	Résultat
Réduction des effectifs	L'action grimpe
Avantages acquis revus à la baisse	L'action grimpe
Heures supplémentaires non rémunérées	L'action grimpe
Multiplication par 2 de la charge de travail	L'action grimpe

Un vieux proverbe dit ceci au sujet du capitalisme : « La marée montante profite à tous les bateaux. » C'est, certes, une source d'inspiration quand on possède un bateau. Mais quand on bosse dans une cellule de travail, les eaux montantes sont simplement le signe que l'un de vos brillants collègues a jeté la lettre interne de l'entreprise dans la cuvette des WC et qu'il a tiré la chasse. À l'évidence, une seule et même théorie ne peut pas s'appliquer à tout le monde. La théorie économique qui bénéficiera à l'actionnaire n'est pas nécessairement la même que celle qui bénéficiera au salarié. Il vous faut votre propre théorie économique – une théorie qui accorde de l'importance aux trucs qui comptent le plus pour vous : le bonheur et l'argent.

Je suis hautement qualifié pour énoncer cette nouvelle théorie économique à l'usage des salariés, car je ne suis pas qu'un simple dessinateur de bandes dessinées : **j'ai fait des études universitaires, et je me suis spécialisé en économie.** Je n'ai peut-être pas maîtrisé toutes les infimes nuances de cette discipline, mais une chose est sûre, c'est que je me suis fait une bonne idée générale des concepts majeurs. Je vais vous les résumer ici même, cela vous évitera d'avoir à supporter un cours :

TOUT CE QUE J'AI APPRIS EN COURS D'ÉCONOMIE

- ▶ C'est une histoire d'offre et de demande
- ▶ L'ennui ne tue pas, mais, certains jours, on peut le déplorer

Ces vérités économiques ne vont pas résoudre instantanément l'ensemble de vos problèmes, mais cela constitue une base solide sur laquelle nous pouvons construire.

Commençons par examiner nos postulats économiques. L'économie florissante de ces dernières années a retourné comme des crêpes les bonnes vieilles hypothèses. Jadis, une chose était garantie quand on avait de l'argent – même peu – c'est qu'on pouvait s'acheter du bonheur. Beaucoup plus de bonheur.

Il y a deux cents ans, par exemple, pour quelques dollars de plus, on pouvait dormir douillettement sous un toit, plutôt que de rester dehors à grelotter sous une pile de feuilles en attendant de se faire dévorer par les loups. Grâce à une économie robuste, sans parler des nouvelles options du fisc auxquelles on ne comprend plus rien, la qualité de vie s'est nettement améliorée, je veux dire pour les loups. Pour la majorité des cols blancs, l'argent ne suffit plus à faire pencher la balance du côté de la vie ou du côté de la mort. Quand on a un emploi honnête, on est loin de pouvoir s'offrir autant de bonheur que par le passé. Les économistes énonceraient la chose de la manière suivante :

Le bonheur de conduire [une Porsche / une Fiat] <

au bonheur [(de ne pas se faire dévorer par un loup) – (de se faire dévorer par un loup)]

Historiquement, l'argent et le bonheur étaient si étroitement liés que nos objectifs étaient compatibles avec ceux de notre employeur. Notre entreprise voulait dégager des bénéfices et nous, nous nous faisions un plaisir de l'y aider, car cela multipliait nos chances d'en arracher une partie aux griffes des rapaces qui la dirigeaient. Cette symbiose se perpétua des décennies durant, jusqu'aux années 90, lesquelles virent les managers prendre conscience qu'il était plus rentable d'arnaquer leurs salariés que de vendre davantage de marchandise. Les entreprises appliquèrent la stratégie économique dite « du salarié arnaqué » et amassèrent de colossaux bénéfices. Les salariés se retrouvèrent livrés à eux-mêmes, sans stratégie économique viable de leur cru. Jusqu'à aujourd'hui.

J'ai développé une nouvelle théorie économique à leur usage. Ma théorie recommande aux salariés de cesser d'essayer de gagner de l'argent directement (en fournissant un travail de qualité), pour se concentrer sur la recherche du bonheur (en appliquant les techniques puissantes exposées dans ce livre). L'argent suivra. J'expliquerai comment.

Nouvelle théorie économique à l'usage des salariés

Le bonheur fait l'argent

Techniquement, une théorie n'est admise que dans la mesure où quelqu'un l'a démontrée. Plusieurs raisons me permettent d'affirmer que les gens heureux gagnent plus d'argent que les autres. La première est liée au risque.

LE RISQUE

En affaires, plus on prend de risques, plus on augmente ses chances de s'enrichir. À moins, bien sûr, de s'engager dans une impasse et de faire, par exemple, jongleur de putois, gardien de prison ou journaliste. Dans ces cas précis, multiplier les risques ne vous rapportera pas un kopeck de plus. Mais, d'une façon générale, plus on prend de risques, plus on gagne d'argent.

Si vous puisez votre bonheur à des sources suffisamment variées et que les choses tournent mal, vous n'avez pas à craindre d'être désarçonné. Un individu épanoui est capable de prendre des risques professionnels susceptibles de se solder par une humiliation, des embarras financiers ou la perte de son emploi sans en faire une affaire d'État. Toutes ces choses sont par nature temporaires, et n'auront qu'un impact mineur sur l'individu qui jouit d'un portefeuille de bonheurs bien diversifié.

Dans un contexte économique défavorable, ma théorie établissant que le bonheur fait l'argent ne tient pas. Les risques sont trop importants. Au premier signe de gaieté non autorisée, on vous licencie. Du point de vue d'un manager, il est toujours plus facile de se séparer d'un salarié qui n'est pas déjà *a priori* un cas social. Se montrer joyeux en des temps de récession économique revient à se peindre une cible dans le dos. Faites preuve d'intelligence, et évitez toute manifestation d'allégresse dans un contexte économique délicat.

Heureusement, le contexte actuel est loin d'être défavorable. Dans un contexte florissant, on peut se permettre de prendre quelques risques supplémentaires pour atteindre la félicité au travail. Votre chef n'aura pas envie de vous licencier, car il lui faudra payer plus cher votre successeur (si toutefois il en trouve un). Et dans la catégorie « empêcheur de tourner en rond », le successeur en question pourrait bien se révéler pire que vous. Le pouvoir a changé de mains. Aujourd'hui, on peut même oser des plaisanteries insultantes au détriment de son chef sans s'exposer à de gros risques. Vous serez même étonné de découvrir à quel point son seuil de tolérance à l'insolence et à l'absurde est élevé. Profitez au maximum de cette situation tant qu'elle dure.

Au cas improbable où vous vous feriez effectivement licencier, vous vous en féliciterez certainement. Tant de gens ont fait partie de charrettes sans avoir commis la moindre faute que les stigmates du licenciement ont aujourd'hui quasiment disparu. On pourrait dire qu'en l'espace de quelques courtes années le licenciement, au demeurant une expérience traumatisante, est devenu un excellent moyen pour prendre quelques congés et relancer sa carrière. Si vous travaillez dans une entreprise qui indemnise les gens qu'elle licencie, tout est pour le mieux dans le meilleur des mondes. Prenez l'argent et trouvez-vous un poste mieux rémunéré dans une entreprise qui a le sens de l'humour.

▶ LES GENS HEUREUX OBTIENNENT LES MEILLEURS POSTES

Quand l'économie tourne au ralenti, les meilleurs postes sont pris par des gens au cheveu vigoureux. Nous autres en sommes réduits à faire des pieds et des mains pour avoir les miettes. Mais en des temps d'économie solide comme ceux que nous traversons, les individus dotés d'une jolie chevelure ne sont pas en nombre suffisant pour occuper les postes les plus convoités. En des temps d'économie solide, la joie de vivre – et plus particulièrement le sens de l'humour développé – peut être un « plus ». Avoir un sens de l'humour développé peut jouer en faveur d'individus dont le cheveu jouit d'un potentiel de carrière limité. Un sens de l'humour développé vous permettra de vous élever au dessus des masses qui en sont dénuées, et de décrocher les gros salaires que, comme vous le savez, vous ne méritez pas.

Ne vous tracassez pas au sujet de votre réelle qualification pour décrocher un poste grassement rémunéré. Il y a peu de chances que le prochain employeur qui vous accordera un entretien d'embauche soit plus qualifié pour identifier vos déficiences que ne l'a été le dernier qui vous a engagé. En ce qui concerne les décisions d'embauche, la plupart des managers sont notoirement sous-doués. Prenez Landru, rasez-lui la barbe, ôtez-lui son monocle, et, demain, il pourrait très bien être engagé chez Apple comme PDG. Cela vous semble peut-être tiré par les cheveux, mais souvenez-vous d'une chose : toutes les histoires de violence sur le lieu de travail ont ceci en commun que l'individu générant cette violence a été engagé par un manager qui n'en a pas détecté les signes avant-coureurs. On peut imaginer l'entretien d'embauche :

Le manager : Votre CV stipule que l'un de vos passe-temps consiste à immoler de pauvres créatures des bois sans défense. J'aimerais que vous m'en parliez.

Le candidat :   Cessez de me harceler. Je vous avertis.

Le manager :   Dans quelle fourchette se situent vos pré-
tentions de salaire ?

Le candidat :   Il y a un salaire ?

Les managers sont pleinement conscients de leur inca-
pacité à faire la différence entre un demandeur d'emploi et
un autre. À qualité égale – capillairement parlant – un
manager chargé de recruter choisira le plus divertissant des
deux. Je vous enseignerai plus loin dans ce livre ma formule
secrète pour générer des situations comiques. C'est la seule
formation qui vous sera nécessaire pour faire impression sur
le prochain recruteur, et pour décrocher le poste pépère qui
vous avait toujours semblé hors d'atteinte, comme par
exemple :

▶ Pilote de navette spatiale

▶ Concepteur d'ogives nucléaires

▶ Chirurgien spécialisé dans les greffes du cœur

Il n'y a pas lieu de s'inquiéter si vous n'êtes pas qualifié
pour ce type de poste. Quel que soit le poste, personne n'est
jamais qualifié le premier jour. Et le niveau des tâches à
accomplir est rarement aussi élevé qu'on le pense. Prenez la
navette spatiale, par exemple : piloter la navette a *l'air* difficile. Mais croyez-vous sincèrement que la NASA dépense-
rait des milliards de dollars à construire un vaisseau spatial
pour commettre ensuite l'erreur d'en confier les commandes
à un manche à balai ? La navette se pilote probablement
d'elle-même. Elle monte, elle fait des ronds en l'air, et elle
atterrit. On ne demande à personne de naviguer à travers
une pluie d'astéroïdes et de bombarder une Étoile de la
Mort. Je suis sûr que les pilotes passent tout leur temps dans
le cockpit à faire des bruits de fusée avec leurs lèvres en

essayant de résister à la tentation de tripoter les boutons. Je parie que si les pilotes de la navette laissaient leur place aux gerbilles expérimentales assises à l'arrière, on obtiendrait les même résultats sur la mission.

Concevoir des ogives nucléaires a l'air de quelque chose de difficile. Ça le serait probablement si quelqu'un se souciait qu'elles explosent. Mais quand on y réfléchit, ce n'est que le jour où des armes atomiques venues d'ailleurs nous pleuvront dessus qu'on pourra dire si vous avez bien fait ou non votre boulot. Je doute que, ce jour-là, vous soyez très soucieux de votre prochaine augmentation. Et si ce jour ne vient jamais, aucun petit malin ne saura jamais que les détonateurs de vos ogives nucléaires sont en fait de vieux radioréveils dépiautés.

Quant aux greffes du cœur, nul ne se doutera que vous n'avez pas fait d'études de médecine si vous vous en tenez à des techniques expérimentales de pointe auxquelles de toute façon personne ne croit. Alors que d'autres chirurgiens greffent des cœurs humains sur des patients humains, vous pourriez vous livrer à des expériences sur la procédure controversée consistant à greffer des cœurs d'artichaut sur des porcs. Pour le coup, nul n'escomptera un taux de réussite élevé, et, lorsque le patient décédera, vous aurez la plupart des ingrédients nécessaires pour organiser un pique-nique à la hawaïenne.

▶ QUAND ON EST DRÔLE, ON A L'AIR INTELLIGENT

Le fait qu'on associe directement le sens de l'humour au génie est un fait universellement reconnu. Je dis cela, d'une part, car je suis en train d'écrire un livre humoristique, d'autre part, car, quand on emploie l'expression « c'est un fait universellement reconnu », personne ne met jamais en doute la véracité de vos propos. Que la chose soit vraie ou pas importe peu. La seule chose qui compte, c'est que les gens *pensent* que le sens de l'humour est marqué au sceau du génie. En conséquence, plus on fait preuve d'humour au travail, plus on passe pour quelqu'un d'intelligent. L'intelligence simulée est un atout pour mener carrière dans le monde des affaires. De fait, l'intelligence factice est même plus utile que l'intelligence réelle. En réunion, les gens véritablement intelligents deviennent grognons, car ils ont la malchance de comprendre ce qui s'y passe. Qu'on fasse *semblant* d'être intelligent ou qu'on *soit* véritablement intelligent, le salaire est le même. À cette nuance près que plus rien, ou presque, ne peut alors ruiner votre journée.

L'humour est le moyen le plus simple et le plus sûr pour simuler l'intelligence. Faites la démonstration de votre intelligence supérieure en aboyant, par exemple, les solutions de problèmes mathématiques complexes, et vous passerez pour un demeuré. Racontez des blagues à longueur de journée, vous passerez pour un salarié brillant, simplement trop modeste pour faire étalage de sa compétence et chercher à se faire remarquer à tout prix. Si l'on vous tient pour un salarié rigolo, vous pourrez faire capoter projet sur projet sans que personne ne soupçonne que c'est VOUS le problème.

▶ S'ACCORDER UNE AUGMENTATION FURTIVE

La seule raison pour laquelle votre entreprise vous rémunère est que vous préféreriez sans doute faire autre chose. Le système économique dans sa totalité est fondé sur le fait que les gens sont prêts à faire des choses désagréables pour de l'argent. Plus la tâche est horrible, plus on en gagne. Prenez la chirurgie du cerveau, par exemple. C'est un boulot qui paie bien, mais qui implique de toucher à des cerveaux toute la journée. Je ne sais pas ce que vous en pensez, mais, moi, je trouve que ce qui sort de la bouche des gens est déjà passablement effrayant ; vous imaginez bien que je n'ai aucune envie d'approcher mes doigts plus près de la source. Et, bien que je n'en aie jamais fait l'expérience, je suis certain qu'une activité nécessitant des scies à main et des crânes humains ne me plairait guère. Personnellement, je trouve cela désagréable.

D'une certaine façon, l'équation

tâches désagréables = argent gagné

a tendance à se vérifier. Plus on est prêt à accepter de faire des choses désagréables, plus l'argent rentre. Inversement, la meilleure façon de minimiser le désagréable, c'est de l'éliminer de sa vie en dépensant un maximum.

(plus d'argent) = (moins de désagréable)

Réduire le désagréable dont on fait l'expérience au travail – sans subir une diminution de salaire –, c'est en quelque sorte s'accorder une augmentation. On pourrait même parler d'augmentation furtive, car votre chef ne s'apercevra vraisemblablement de rien. Le meilleur moyen de réduire notre temps total quotidien d'exposition au désagréable, c'est encore de lui barrer l'accès à notre vie en cultivant une allégresse sans retenue. Ce livre vous donnera toutes sortes de stratégies pour ensoleiller vos journées de travail en y introduisant de la gaieté, ce qui vous laissera moins d'heures pour écouter votre chef, pour scier des crânes, ou pour faire vos trucs habituels, quels qu'ils soient.

2

Diriger son chef

Rien n'est plus crucial pour votre bonheur que d'apprendre à manager votre chef. L'alternative peut être un désastre. Si votre chef essaie d'inverser les rôles et de vous diriger, vous allez vous retrouver, sans avoir eu le temps de vous en apercevoir, à faire des tâches débilitantes pour de l'argent.

Vous apprendrez dans ce chapitre un certain nombre de stratégies, vérifiées sur le terrain, permettant de manager son chef. Le choix de la vôtre dépend du type de supérieur que vous avez. Servez-vous de cette grille pour l'identifier.

▶ **PROFILS DE CHEFS**

	Inoffensif	Malveillant
Compétent	C-I	C-M
Incompétent	I-I	I-M

Si votre chef tombe dans la case Incompétent-Malveillant (I-M), optez pour les stratégies qui vous permettront de vous tenir à distance. En règle générale, dans la vie, il est préférable de se tenir à distance de toute chose dont le descriptif intègre le mot « mal ». Mais c'est d'autant plus vrai lorsqu'il y a un chef impliqué dans l'affaire. Lorsqu'à la malveillance se rajoute l'incompétence, il devient plus difficile d'anticiper. Votre seule défense est la distance. Choisissez la stratégie qui vous placera hors d'atteinte du mal, ainsi que l'a fait ce monsieur en quittant l'entreprise.

De : [respect de l'anonymat]
À : scottadams@aol.com

Chaque jour, mes ex-collègues et moi choisissions un nouveau mot du jour. Le jour où j'ai démissionné, le mot était « acéphale ». Acéphale signifie : « sans tête ou qui n'est pas doté d'une tête clairement définie », ou encore « dépourvu de leader ».

Plus tard, ce jour-là, le président me demanda pourquoi j'avais décidé de quitter l'entreprise. Je lui expliquai que nos styles de management ne s'accordaient pas et lui dis : « Je ne peux me résoudre à mettre en œuvre vos méthodes de management acéphale. »

« C'est parce que vous n'avez pas autant d'expérience que moi en ce domaine », m'a-t-il répondu.

J'ai acquiescé.

Au cas improbable où votre chef tomberait dans la catégorie rare des Compétents-Inoffensifs (C-I), efforcez-vous de déléguer vers le haut le plus possible. En effet, il est important que votre entreprise soit entre les mains de gens compétents. Cela permettra à votre employeur de dégager des bénéfices suffisamment importants pour payer des gens comme vous à faire des trucs comme lire ce livre.

De : [respect de l'anonymat]
À : scottadams@aol.com

Après avoir testé de multiples techniques, j'en suis arrivé à la conclusion que la meilleure façon de diriger mon chef consistait à renouveler régulièrement le stock de friandises de la bonbonnière posée sur mon bureau. Ce stratagème m'assure d'une part un minimum de trois visites par jour, visites qui m'offrent d'excellentes occasions d'exercer mes compétences en matière de « délégation vers le haut ». D'autre part, il garantit chez mon chef un état d'hyperglycémie permanente, état typique qui le pousse à donner des réponses positives à mes questions cruciales : approbation des budgets, jours de congé supplémentaires, etc.

Si votre chef est un Incompétent-Inoffensif (I-I), vous aurez peut-être envie de le garder à portée de main simplement pour le divertissement. Plusieurs des stratégies ci-dessous vous aideront à tirer le meilleur profit d'un chef de type I-I.

De : [respect de l'anonymat]
À : scottadams@aol.com

Je travaille dans une usine à cellules de travail dont les rangées sont éloignées d'une dizaine de mètres les unes des autres, ce qui est exactement la distance requise pour disputer un match de « Ping-Boss ». Pour donner le coup d'envoi, il faut attendre qu'une « balle » (un gros fainéant managérial qui ne comprend rien à rien) se présente, puis l'appeler. Ensuite, c'est à l'équipe adverse d'attirer son attention et de l'amener jusqu'à elle, faute de quoi c'est nous qui marquons un point.

La « balle » se fatigue généralement au bout de quelques volées, et on ne la revoit pas sur le terrain avant quelques jours. Avec un peu d'expérience, vous pourrez faire des matches à plusieurs « balles ». Nous sommes montés jusqu'à quatre à la fois, totalisant sept volées.

Si votre chef correspond au profil Compétent-Malveillant (C-M), appliquez les stratégies qui l'encourageront à se concentrer sur vos collègues. Ce n'est pas en vous cachant que vous arriverez à manager un chef C-M. Il est trop intelligent pour cela. Votre seul espoir consiste à réorienter ses intentions malveillantes dans une direction où elles ne peuvent vous nuire. En substance, c'est la stratégie qu'on utilise quand on est pris en chasse par un monstre : l'idée, c'est de lui jeter un autre individu en pâture afin de pouvoir sauver sa propre peau. Voici comment un salarié a formé son chef à concentrer son attention ailleurs.

De : [respect de l'anonymat]
À : scottadams@aol.com

Pour minimiser tous les contacts avec mon chef, je fais semblant d'être encore plus ennuyeux que je ne le suis en réalité. Quand il passe me voir, je parle du temps qu'il fait ou des romans de science-fiction que j'ai lus. S'il me demande comment je vais, je commence à lui parler d'une petite grippe que j'ai eue deux semaines plus tôt, ou d'une bêtise de ce genre, et tout se termine très vite. J'ai réussi à dégraisser ma vie de mon chef tout en conservant mon salaire.

▶ STRATÉGIES POUR DIRIGER SON CHEF
STRATÉGIE n° 1 : GÉNÉRER UN ÉTAT DE TENSION

À tout moment, sitôt qu'il approche à moins de cent mètres, soyez prêt à déverser sur votre chef un tombereau de « problèmes » inextricables et rances. Avant même qu'il n'ait eu le temps d'ouvrir la bouche, lancez-lui : « Justement, je vous cherchais ! », puis commencez à lui décrire un problème professionnel aussi insoluble que démoralisant. Voici quelques exemples de problèmes à déverser sur votre chef :

Problèmes à soumettre à votre chef

« La Direction de la concurrence et des prix vient de nous demander tous nos documents. Soyez rassuré, nous avons arrosé d'essence tout le mobilier et nous attendons vos instructions. »

« La mauvaise nouvelle, c'est qu'une bactérie mortelle a infesté notre système de climatisation. La bonne, c'est qu'il y a de grandes chances pour qu'elle soit terrassée par l'amiante du plafond. »

« Il y a eu confusion au service graphique. Le logo de votre nouveau produit ressemble à une chèvre crevée. Efforcez-vous de le dissimuler au moyen de votre pouce, à la conférence de presse, tout à l'heure. »

Si toutefois il est doté d'un quelconque système nerveux central, le corps de votre chef va soudain se raidir, et il sera soumis à une hausse de tension telle que ses globes oculaires vont soudain ressembler à un réseau d'auto-routes. Une bosse pourrait même spontanément lui pousser dans le dos, là, sous vos yeux. Ne proposez aucune solution aux « problèmes ». Comptez sur votre chef pour les trouver. S'il échoue, prenez un air vexé. L'air vexé doit véhiculer un message signifiant que vous êtes déçu par son leadership. Votre objectif : transformer chaque échange en expérience épuisante et douloureuse (pour lui), sans toute-fois vous exposer à des risques de licenciement. Après tout, vous êtes payé pour soulever des problèmes. Il n'y a aucun mal à cela.

À la longue, votre chef sera saisi d'une légère crise de panique, ou l'équivalent, chaque fois qu'il pensera à vous. Désormais, il y regardera à deux fois avant de vous confier une nouvelle mission. De votre côté, vous passerez pour un élément soucieux d'avoir une vision d'ensemble. La clé de cette stratégie est la persévérance. Si vous l'appliquez avec assiduité, votre chef ne cherchera même plus à savoir à quoi vous passez vos journées. Voilà qui libère de nombreuses heures pour vous adonner à vos passe-temps importants, comme faire la sieste ou grignoter.

STRATÉGIE n° 2 : LE CHEF DU CHEF

Dans la mesure du possible, efforcez-vous de covoiturer avec le chef de votre chef. Déménagez dans une autre ville si nécessaire. Cela en vaut la peine. Faites de fréquentes allusions à vos activités de covoiturage devant votre chef, tout en désignant son chef à lui par un surnom affectueux inventé pour l'occasion. Le Père Fouettard ou Madame Tapedur, par exemple. Si votre chef vous demande de faire un truc qui vous assomme, acceptez de le faire, puis secouez la tête en grommelant : « C'est Mme Tapedur qui va bien rigoler. ».

Une autre possibilité consiste à embrasser la même religion que le chef de votre chef, même si cela implique une conversion de votre part (une fois retraité, il sera toujours temps de revenir à votre confession originale, sans grand risque de peine à purger dans une vie future). Si votre supérieur direct tente de vous interdire le covoiturage – en vous assignant d'autres tranches horaires par exemple –, jamais il n'osera vous entreprendre sur votre obédience religieuse. Encore moins si c'est celle de son chef.

Quelle que soit la méthode choisie, n'allez jamais trouver le chef de votre chef durant vos heures de travail. Que vous le vouliez ou non, cela s'appelle de l'insubordination.

STRATÉGIE n° 3 : RÉTENTION D'INFORMATION

Soumettre des « problèmes » à votre chef ne vous expose à aucun risque, mais ne lui transmettez jamais aucune autre information sur un projet. Transmettez de réelles informations, et il tentera de prendre une décision. Si c'est le cadet de vos soucis, réfléchissez un instant : c'est grâce à votre chef que vous conservez votre emploi, et vous êtes en train de lire un manuel pour l'entourlouper ! De toute évidence, il fait preuve d'un piètre discernement. En un mot comme en cent, toute décision prise par votre chef se soldera par un alourdissement de votre charge de travail.

Si votre chef insiste pour que vous lui fournissiez des états d'avancement, ayez recours aux « grands mots » et au pouvoir qu'ils confèrent pour crypter tout ce qui pourrait avoir du sens. Voici un état d'avancement exploitable dans tous les cas de figure, ou presque :

> Les initiatives de ce projet se déroulent conformément à la méthodologie variable définie dans le cadre de notre accord pré-consensuel fixant nos objectifs stratégiques.

Une autre approche consiste à feindre d'être encore plus frustré que votre chef de ne pas être en mesure d'obtenir l'information. Cet e-mail l'explique parfaitement.

De : [respect de l'anonymat]
À : scottadams@aol.com

En réunion, chaque fois qu'on me pose une question, j'évalue soigneusement si la personne qui la pose est à même de comprendre toutes les implications que pourrait avoir une réponse sincère. Lorsque je considère qu'une réponse sincère n'est pas appropriée, je m'écrie simplement : « C'est justement ce que j'aimerais savoir ! » en tapant du poing sur la table. Cette technique se révèle particulièrement efficace lors de réunions où c'est sur moi qu'on met toute la pression pour obtenir une information sensible.

En variant très légèrement la syntaxe et/ou en mettant l'accent sur certains mots plutôt que d'autres, on peut tirer le meilleur parti de cette phrase :

1 – C'est **JUSTEMENT** ce que j'aimerais savoir !

2 – C'est justement ce que **MOI,** j'aimerais savoir !

Si l'on exige régulièrement de vous des états d'avancement en réunion, faites en sorte de les truffer de détails assommants concernant les aspects les plus insignifiants de votre travail. Parlez-en avec ferveur, afin de dissuader votre chef de vous interrompre. Votre supérieur direct finira par programmer des réunions moins longues, afin de ne pas laisser à des gens comme vous le temps de faire des rapports.

Une technique efficace de rétention d'information consiste à noyer votre chef sous un tel déluge d'informations que les véritables messages passent à la trappe ou sont ignorés. Vous pouvez ainsi former votre supérieur hiérarchique à ne plus jamais lire le moindre de vos e-mails. Une fois que vous aurez réussi à instaurer ce réflexe chez votre chef, vous êtes absolument inattaquable s'il vous accuse un jour de ne pas l'avoir tenu informé. Regardez-le droit dans les yeux, prenez un air exaspéré et lancez-lui : « Je vous ai envoyé quatre e-mails à ce sujet. Vous ne les lisez jamais, ou quoi ? »

Le niveau de la rétention d'information doit être en équation parfaite avec celui de la catégorie de dirigeants que vous tentez de contrôler. Plus on s'élève dans l'échelle, plus la sous-information peut faire du dégât. Règle de base : toute information susceptible d'être consultée par un manager dont la position dans la hiérarchie vous coiffe de deux niveaux ou plus doit être scrupuleusement vidée de toute substance.

STRATÉGIE n° 4 : ÉVITER LA PROXIMITÉ

On peut établir une corrélation directe entre la proximité de votre chef et votre bonheur. J'exprimerai ce rapport en termes cinématographiques.

Proximité du chef	Humeur du salarié
Dans votre cellule de travail…	… style Sigourney Weaver dans *Alien*.
Dans son bureau à lui…	… style E.T. terré dans un placard.
Autre immeuble…	… style Dorothy après le départ des singes volants.
En déplacement…	… style Richard Dreyfus dans *Les Dents de la mer*, quand les eaux sont trop calmes.
Dans une geôle irakienne…	… style James Stewart dans *La Vie est belle*.

Une possible approche du problème de proximité consiste à cesser de se rendre au bureau et à voir combien de temps s'écoule avant que quelqu'un ne s'en aperçoive. Mais il ne s'agit là que d'une solution à court terme car, si elle fonctionne, vos collègues eux aussi resteront à la maison. Votre entreprise ne tardera pas à déposer le bilan.

C'est à ce stade-là que votre chef s'apercevra éventuellement que son chèque ne tombe plus. Et là, votre petite conspiration sera percée à jour. Une approche plus inspirée consiste à vous rendre chaque jour à votre travail, mais en trouvant des prétextes pour envoyer votre chef hors les murs, de préférence à destination d'une nation despotique qui se considère en guerre avec la vôtre.

Épluchez la presse spécialisée pour trouver des annonces de conférences au bout du monde. Choisissez celles dont le nom contient des mots qui sonnent bien, du style « Global », ou « Tech », ou encore « Symposium ». Puis plaidez auprès de votre chef pour qu'il *vous* laisse vous y rendre. C'est un piège, car vous n'avez nullement l'intention d'aller y assister vous-même. La plupart des chefs mordront à l'hameçon et vous expliqueront que les conférences de ce type s'adressent aux cadres de direction. Sinon, pourquoi le mot « *Global* » figurerait-il dans l'énoncé de leur nom ? Pestez mollement et repartez en traînant les pieds. Répétez.

STRATÉGIE n° 5 : LEURRES

Votre chef éprouve un profond besoin psychologique de ressentir qu'il apporte un « soutien ». Malheureusement, la quantité de « soutien » qu'il fournit sera sans commune mesure avec ses compétences ou avec vos besoins.

Qu'il en ait besoin ou pas, chaque salarié appelé à traiter avec le chef aura droit à une bonne cuillerée de « soutien ». D'où la nécessité de poser des leurres.

Avant de formuler une proposition à votre chef, insérez-y des points-leurres. Ces leurres sont des éléments de votre plan qu'en réalité vous ne comptez pas appliquer. Faites-en sorte que ces leurres constituent les éléments les plus voyants du plan, des éléments sur lesquels l'œil est obligé de s'arrêter. Votre premier transparent pourrait être rédigé de la manière suivante :

Phase n° 1

- Réaliser une étude de marché pour un nouveau jouet
- Concevoir le jouet
- **Assassiner le président du Chili**
- Fabriquer le jouet

Votre chef remarquera que le troisième point « ne cadre pas ». Il exigera que vous supprimiez cette étape. Opposez une certaine résistance (uniquement pour donner le change) puis acceptez à contrecœur. Demandez une rallonge de budget pour que ce changement puisse être réalisé. Vous satisferez ainsi son besoin d'apporter un « soutien ». Plus tard, confiez à votre chef que, bien qu'à l'époque vous ayez nourri des doutes, la décision d'annuler le tir s'est révélée pertinente.

STRATÉGIE n° 6 : FOURNIR UN TRAVAIL BÂCLÉ DANS DES DOMAINES QUI FONT BIEN SUR UN CV

Ne commettez pas l'erreur de mettre les bouchées doubles dans l'espoir de décrocher l'augmentation la plus importante de votre service. La différence sanctionnant un travail estimé « au-delà des attentes » par rapport à un travail estimé « conforme aux attentes » doit se situer autour des 2 % par an. D'un point de vue mathématique, sur le long terme, il est nettement plus intéressant de fournir un travail déplorable dans un domaine qui fait bien sur un CV que l'inverse, fournir un travail remarquable sur un truc qui a l'air ennuyeux sur le papier. Si votre chef vous confie une mission qui n'apportera rien à votre CV, contentez-vous de l'ignorer et jetez-vous sur un dossier qui fait bien sur le papier, quelle que soit votre incompétence en la matière. Cela ne lui fera certainement pas plaisir, mais rappelez-lui d'être gentil car, un jour, il se pourrait bien qu'il travaille pour vous ; mieux vaut donc pour lui qu'il évite de couper les ponts.

Vous n'avez sans doute pas l'intention de rester dans votre entreprise jusqu'à la fin de vos jours. Le nombre de dossiers que vous faites capoter entre donc peu en ligne de compte. Si vous ne démissionnez pas d'ici quelques années, vous serez de toute façon viré à la faveur de la prochaine fusion. En termes de carrière, s'efforcer d'aligner les succès est donc une stratégie stupide.

Quand la nouvelle entreprise vous soumettra à un entretien d'embauche, personne ne vous demandera de lettre de recommandation, car cela mettrait en évidence votre déloyauté et risquerait de vous causer des ennuis. La seule chose que votre nouvel employeur est à même de vérifier, c'est votre « expérience », et non votre compétence, professionnelle. L'expérience est ce qui transparaît dans l'énoncé des différents postes que vous avez occupés, sans se soucier de votre colossale déloyauté, de votre fainéantise ni de votre mauvaise gestion comptable. Si vous avez passé cinq ans à concevoir des réacteurs de haute technologie, peu importe que vous n'en ayez achevé qu'un seul et qu'il ait rasé un village de bûcherons à proximité. Cette information-là ne vous accompagne pas. Seules les bonnes nouvelles filtrent : vous avez conçu des moteurs d'avion de haute technologie.

STRATÉGIE n° 7 : LÂCHER LE CHEF SUR LES COLLÈGUES

Signalez à votre chef qu'un projet, dans lequel vous n'êtes pas le moins du monde impliqué, semble se traîner lamentablement. Inventez de toutes pièces, puis couvrez-vous en précisant que « ce n'est qu'une rumeur ». Faites bien monter la sauce, orientez votre chef dans la bonne direction, puis effacez-vous. Il lui faudra peut-être plusieurs jours pour découvrir que tout ce que vous lui avez raconté n'est qu'un tissu de mensonges, mais cela ne l'empêchera pas de lever des lièvres quand il ira fourrer son nez dans le projet en question. Quand il viendra vous trouver pour vous signaler que les problèmes que vous évoquiez ne se posent pas en réalité, dites qu'il s'agit d'un malentendu, puis remettez ça avec une rumeur sur un projet différent.

STRATÉGIE n° 8 : RÉUNIONS-PIÈGES

Chaque fois que vous êtes en réunion, quels qu'en soient l'objet ou la liste des participants, suggérez à ceux-ci d'aller trouver votre chef pour lui parler de sujets dont vous n'êtes pas partie prenante. Anticipez sur leurs attentes, puis informez-les du fait que votre chef est un expert en la matière, même si rien dans son titre ne le laisse présager. Il y a toutes les chances pour que votre chef, pris de court et intimidé, accepte de rencontrer ces gens. Avec un peu de chance, il finira dans leur groupe de travail à eux. Il sera par conséquent trop occupé pour nuire à votre épanouissement quotidien.

STRATÉGIE n° 9 : ÊTRE UN ÉLÉMENT FACILE À GÉRER

L'un des avantages imprévus de toutes les réductions d'effectifs des années 90 est qu'il y a aujourd'hui moins de managers par salarié. Pour profiter au mieux de cet état de faits, efforcez-vous d'être affecté à un service où sévissent déjà plusieurs salariés à problèmes et difficiles à gérer. Vous voyez le genre – on ne sait pas pourquoi, mais, autour d'eux, tout n'est que désolation. Ils sont au cœur de crises exigeant d'être solutionnées sans délai. Ils stationnent toutes les heures devant la porte du chef et pompent tout l'oxygène. Si vous avez ce genre d'individu dans votre service, optez pour la stratégie consistant à devenir le salarié le plus facile à gérer et le plus docile parmi tous ceux dont votre chef a la charge. Créez l'illusion en allant lui soumettre des problèmes faciles à résoudre, assortis de vos recommandations. Exemple :

> **Vous :**   Nos concurrents ont lancé un nouveau produit. Je conseille de ne pas bouger et de voir ce qui se passe.
>
> **Le chef :**   Bien. Faites ça.
>
> **Vous :**   Je m'occupe de tout.

Ensuite, ne parlez plus à votre chef pendant un mois, afin de donner l'impression que vous maîtrisez parfaitement la situation. Vous vous taillerez une réputation de salarié modèle, de ceux qui n'ont besoin d'aucun soutien de la direction, ce qui vous permettra d'exercer – loin de tout contrôle hiérarchique et à la cadence qui vous convient – vos talents de glandeur masqué.

STRATÉGIE n° 10 : EFFACEMENT DU CHEF

Avec certaines boîtes vocales, il faut appuyer sur la touche « 3 » du téléphone pour effacer un message. On peut procéder de la même façon pour arrêter une conversation en direct avec son chef. La prochaine fois que le vôtre appellera, enfoncez la touche 3. Votre chef entendra un bip désagréable et vous demandera ce qui s'est passé. Dites que vous n'avez rien entendu, puis recommencez. Continuez de faire le « 3 » jusqu'à ce qu'il soit trop contrarié pour poursuivre la conversation.

STRATÉGIE n° 11 : THÉRAPIE DU REFOULEMENT DE L'OPINION

Vous pouvez former votre chef à refouler ses opinions en faisant en sorte qu'il soit embarrassé chaque fois qu'il ouvre la bouche. En réunion, demandez-lui son avis sur la faisabilité de trucs qui ont déjà été réalisés. Exemple :

> **Vous :** Pensez-vous que la NASA arrivera à faire se poser un véhicule téléguidé sur Mars ?
>
> **Le chef :** Impossible. C'est trop loin.
>
> **Vous :** Vous devriez en informer la NASA. Ils s'imaginent l'avoir déjà fait.

STRATÉGIE n° 12 : CONSEILS FOIREUX

Si votre chef ne sait pas faire la différence entre un bon et un mauvais conseil, ne lui en donnez que de mauvais. Virtuellement, c'est l'assurance qu'il passera moins de temps avec vous et plus de temps à s'excuser auprès des gens, à réparer les trucs qu'il aura cassés, et à se demander pourquoi on ne le convie plus aux réunions.

STRATÉGIE n° 13 : POSTULER POUR DES HONNEURS

Il existe probablement dans votre entreprise une quelconque politique de gratifications destinées aux salariés fournissant un travail exceptionnel. Ne ratez pas une occasion de postuler pour ces récompenses, sans vous soucier de la piètre qualité de vos performances effectives. Il arrivera un moment où quelqu'un situé plus haut que lui sur l'échelle de la hiérarchie mettra la pression sur votre chef pour qu'il distribue au compte-gouttes deux ou trois récompenses pour faire remonter le moral des salariés. Il faut bien que votre chef les accorde à quelqu'un, et il est probable que vos collègues ne sont guère plus « exceptionnels » que vous. Mais si vous vous y prenez bien, vous vous imposerez comme la solution de facilité.

Chaque fois que vous engagez des dépenses, dans quelque domaine que ce soit, prétendez que vous avez réalisé une économie considérable par rapport à votre coût estimé de départ. Si vous achetez un nouveau PC pour 9 000 F, suggérez qu'une récompense vous soit accordée pour n'en avoir pas dépensé 12 000. Si l'économie réalisée n'est pas satisfaisante, proposez d'étendre à tout le service une procédure fixant à 9 000 F le plafond pour tout achat de PC. Puis revendiquez l'économie réalisée sur tout futur achat de PC.

La seule chose dont votre chef a besoin, c'est une vague rationalisation lui permettant d'obtenir l'accord de son supérieur hiérarchique pour décerner la récompense. Dans la mesure où vous lui permettez de résoudre son propre problème, il ne cherchera pas trop à éclaircir votre logique.

Une fois que vous avez décroché la récompense, vous êtes en pole position pour la prochaine série de promotions et d'augmentations. D'ici quelques mois, votre chef aura peut-être oublié le motif de la récompense, mais il se souviendra d'une chose, c'est que vous êtes un peu plus « exceptionnel » que vos collègues.

STRATÉGIE n° 14 : RÉDUIRE VOTRE CHEF EN ESCLAVAGE ET EN FAIRE UN ZOMBIE DÉCÉRÉBRÉ

Vous avez remarqué que, quand on bâille, ça fait bâiller les autres ? Ou que parfois, en réunion, quand on s'appuie sur la table en posant le menton dans les mains, d'autres font inconsciemment la même chose ? Il s'agit là d'une forme subtile d'hypnose. Avec un tout petit peu d'entraînement, on peut passer au niveau supérieur de cette faculté. Ce que je m'apprête à vous décrire paraîtra peu vraisemblable, mais c'est une technique que j'ai souvent appliquée au cours de ma carrière en cellule de travail (j'avais suivi des cours d'hypnose), et qui fonctionne plus souvent qu'on ne pourrait l'imaginer.

Il n'est pas nécessaire de plonger quelqu'un en transe pour exercer une influence sur son comportement. La seule chose requise est une technique d'hypnose de base appelée

« Imiter-Diriger ». Imiter consiste à singer votre chef. S'il parle doucement, parlez doucement. S'il a recours au langage visuel (style : « Je vois ce que vous voulez dire »), ayez recours au langage visuel (style « J'avais prévu le coup. ») Si votre chef s'appuie sur un bras, appuyez-vous sur un bras. Vous pouvez même apprendre à épouser son rythme respiratoire. Plus vous imiterez de comportements, mieux cela marchera.

Évitez d'imiter les gros trucs voyants, du genre sa façon de s'habiller ou ses fautes de langage. Vous auriez plus l'air d'un fayot pathétique que du maître marionnettiste que vous êtes en réalité. Tenez-vous-en aux comportements secondaires, inconscients. Et ne perdez pas une occasion.

Quand vous aurez imité votre chef pendant un moment (dix minutes suffisent amplement), vous serez prêt à « diriger ». Testez l'envergure de votre contrôle en mettant vos mains dans une position donnée, et voyez s'il suit. Le cas échéant, son cerveau est bel et bien placé sous votre contrôle subtil. À ce stade, tout ce que vous pourrez dire semblera plus convaincant.

Si vous dites quelque chose et que votre chef répond : « C'est justement ce que je me disais », on peut admettre que le contrôle exercé est total. Vous ne pourrez pas lui donner l'ordre d'aller assassiner quelqu'un, mais il se pourrait bien qu'il trouve vos idées excellentes, même si ce n'est pas le cas.

Tuyau supplémentaire : Lorsque votre chef se trouve face à un groupe d'individus, amusez-vous à l'imiter jusqu'à obtenir le contrôle, puis comportez-vous comme si votre corps tout entier était soudain en proie à de violentes démangeaisons.

STRATÉGIE n° 15 : S'INVENTER DES SOUVENIRS

Cette stratégie fonctionne d'autant mieux qu'on a des complices. Chaque fois que votre chef vous demande pourquoi vous faites quelque chose d'une certaine façon, répondez-lui que vous en avez parlé ensemble la semaine précédente et que ce sont les consignes qu'il vous a données. Prenez un air étonné, voire stupéfait, qu'il revienne sur une décision d'aussi longue date.

Si tout le monde au bureau a recours à ce même stratagème, votre chef finira par croire qu'il perd la mémoire. Il n'ira pas consulter un professionnel de la santé mentale, de peur de devoir affronter le pire. S'il s'obstine à penser que le problème est dans votre camp, ne discutez pas. Contentez-vous de hocher la tête en marmonnant : « C'est ce que Papy me disait toujours. »

STRATÉGIE n° 16 : VACCINATION CONTRE LES MAUVAISES NOUVELLES

Si vous avez une mauvaise nouvelle bénigne à annoncer à votre chef, vaccinez-le d'abord. Pour ce faire, inventez une histoire invérifiable nettement pire que la véritable mauvaise nouvelle. Par exemple, si la mauvaise nouvelle bénigne est que vous êtes en retard d'une semaine sur le développement de votre produit, vous pouvez sortir un truc du genre : « Mes contacts m'ont informés que Microsoft a prévu de fabriquer le même produit que nous. C'est leur priorité absolue. »

Attendez quelques jours que le vaccin prenne effet, puis annoncez-lui la mauvaise nouvelle bénigne concernant votre plan de travail. Laissez agir quelques jours à nouveau. Puis annoncez à votre chef que vous avez poussé des recherches en profondeur (sur votre temps libre) et découvert que la rumeur Microsoft était totalement fausse! La bonne nouvelle, c'est que votre produit n'aura qu'une semaine de retard.

HISTOIRES DE CHEFS DIRIGÉS, EN DIRECT DU TERRAIN

Voici quelques histoires rapportées par des gens qui ont développé leurs propres techniques de management de chef.

De : [respect de l'anonymat]
À : scottadams@aol.com

Mon chef exigeait des états d'avancement biquoti-
diens. Or, nous savons tous que rien n'évolue à une
telle cadence, notamment lorsqu'un groupe de
300 ingénieurs en logiciels travaillent ensemble sur le
même projet.

J'ai créé un fichier informatique de mots-clé typiques
des rapports, du style : « finalisé à 55 % », « vérifi-
cation de procédure », « communication entre les
ingénieurs », « examen approfondi », etc. Ensuite,
j'ai conçu un logiciel organisant de façon aléatoire
des phrases sans queue ni tête construites à partir
d'un algorithme utilisant les secondes apparaissant à
l'écran sur l'horloge de mon PC. Sitôt l'état d'avancement créé, le programme l'envoyait directement à
mon chef.

Un beau jour, mon chef m'a cité en exemple comme
un ingénieur qui suivait bien la procédure !

De : [respect de l'anonymat]
À : scottadams@aol.com

J'ai trouvé un moyen formidable de persuader mon
chef que je travaille. J'ai monté dans ma cellule de
travail et braqué sur moi une fausse caméra de surveillance vidéo à 50 F (estampillée « Caméra de
sécurité ») dotée d'un petit voyant rouge clignotant

alimenté par une pile. Tous mes collègues ainsi que mon chef d'équipe sont persuadés que je passe mon temps à travailler, car qui tirerait au flanc sous l'œil d'une caméra de surveillance !

Cela dissuade également les gens de me piquer mes stylos et de se servir de mon téléphone quand je ne suis pas là !

De : [respect de l'anonymat]
À : scottadams@aol.com

Voici le plan que nous avons fait à notre chef. Il s'était acheté cette Cadillac toute neuve (financée à la sueur de nos fronts). Comme c'est un grand sensible, il nous traitait avec arrogance du haut de son volant, car, nous, nous étions des moins que rien. Et comme nous sommes des salariés sensibles, chaque fois qu'il allait garer sa créature adorée dans son super-parking privé, nous nous y glissions subrepticement et versions de l'huile de vidange sur le sol, juste sous le moteur. Il a naturellement été pris de panique, et on l'entendait hurler aux oreilles du concessionnaire d'un bout à l'autre du bureau. Il la lui a portée en réparation. Nous avons laissé reposer deux jours, puis nous avons recommencé le coup de la pseudo-fuite d'huile. Il la lui a portée à nouveau, exigeant qu'il règle le problème ou alors qu'il lui fournisse un véhicule neuf. Maintenant, il veut le traîner en justice. Je lui ai dit que je connaissais un mécanicien hors pair qui, s'il était prêt à y mettre le prix, lui garantirait une réparation efficace.

De : [respect de l'anonymat]
À : scottadams@aol.com

J'ai eu un jour un chef qui était le micro-manager le plus redoutable de tout l'Univers. Il se postait littérale-ment derrière votre dos et vous expliquait quelle touche du clavier il fallait enfoncer. J'ai reprogrammé mon clavier de telle sorte que rien de ce qu'il me disait de faire ne marche jamais. Il a fini par saisir le message et a renoncé à m'embêter.

De : [respect de l'anonymat]
À : scottadams@aol.com

J'ai un chef qui est hypocondriaque. Si un jour donné je n'ai pas envie d'avoir affaire à lui, je tous-sote dès notre première rencontre et je lui sors : « Je crois que je couve un truc. ». Chaque fois, il me laisse tranquille pour la journée.

De : [respect de l'anonymat]
À : scottadams@aol.com

J'ai eu un chef qui passait beaucoup trop de temps à parler aux gens alors qu'ils essayaient de faire leur travail. Pour résoudre ce problème, mes collègues et moi avons mis au point une mission tournante appelée « Corvée de chef ». Quand c'était votre jour, vous étiez contraint de veiller à le divertir, au lieu de discuter avec les ingénieurs de la phase critique du projet. Le jour de votre « tour », vous étiez censé répondre dans les cinq minutes aux états d'avancement que vos collègues, piégés par le chef dans leur bureau, vous envoyaient par e-mail. Je crois qu'il n'a jamais saisi ce système d'accroissement de la productivité que nous avons mis en place dans son intérêt.

De : [respect de l'anonymat]
À : scottadams@aol.com

Un jour creux à mon travail dans une petite boutique, je discutais avec mon amie la caissière quand mon chef déboule et me demande : « Pourquoi ne travaillez-vous pas ? »

« Il n'y a rien à faire », lui répondis-je.

« Faites semblant de travailler », lança-t-il.

Je lui répondis : « Faites comme si je travaillais. Ensuite, VOUS ferez semblant de me remplacer et, moi, je rentrerai chez moi. »

De : [respect de l'anonymat]
À : scottadams@aol.com

J'ai eu un chef qui ne prenait en compte aucune suggestion émanant de ses subalternes. Donc, chaque fois que nous avions une idée, nous lui disions que c'était une idée de son chef à lui.

De : [respect de l'anonymat]
À : scottadams@aol.com

Avec ma chef, nous avons été chargés d'un audit sur l'une de nos succursales. Elle rédigea le premier jet de cet audit, *a priori* plutôt cinglant, et nous l'avons transmis à son supérieur direct, le vice-président.

Celui-ci nous le retourna en nous demandant de « faire des coupes pour gagner en intensité ». Nous avons donc pris le rapport qui était imprimé uniquement en recto, nous en avons copié une nouvelle version, mais cette fois recto verso, nous l'avons relié, et soumis une nouvelle fois. Le VP exprima sa totale satisfaction au sujet de la nouvelle version amincie.

De : [respect de l'anonymat]
À : scottadams@aol.com

La meilleure méthode que j'aie trouvée pour diriger mes chefs est l'imparable « Coup du Jedi ». Si, par exemple, votre chef vous demande : « Avez-vous bouclé ce projet ? », regardez-le droit dans les yeux et, d'un geste de la main, répondez-lui : « Ce ne sont pas les droïdes que nous recherchons, circulez. »

Cette technique s'est révélée efficace en maintes occasions dans le cadre de mon premier emploi dans une banque d'investissement. Je suis devenu tellement qualifié que j'ai effectivement formé mes collègues salariés conformément aux préceptes de la Force.

De : [respect de l'anonymat]
À : scottadams@aol.com

À l'époque où j'étais secrétaire, j'ai découvert que la meilleure façon de diriger mon chef (un banquier d'affaires) consistait à appliquer les techniques aux-quelles j'avais recours alors que j'étais adolescente et que je faisais du baby-sitting. Tant que vous faites preuve de fermeté, que vous n'avez pas peur de les remettre à leur place, et que vous les traitez comme des enfants en bas âge et irresponsables, vous avez *a priori* l'assurance que tout va se passer comme vous le souhaitez.

La tâche est également facilitée si vous êtes la seule à connaître leur numéro de sécurité sociale, leurs numéros de cartes de crédit, le mot de passe de leur portable, celui de leur ordinateur, le nom de jeune fille de leur mère, l'anniversaire de leur petite amie, etc. Ils dépendent alors totalement de vous dans chacun des aspects de leur vie de tous les jours. N'oubliez pas, bien sûr, de profiter des déplace-ments de votre chef pour réagencer tous vos classe-ments afin d'être la seule à pouvoir vous y retrouver.

Mon chef avait fini par nourrir une telle confiance et un tel état de dépendance qu'un beau jour il m'ap-pela d'un aéroport pour me demander si c'était le bon, car l'avion n'était pas là et il n'avait pas pris la peine de vérifier son itinéraire, ni même de préciser au chauffeur à quel aéroport il voulait se rendre. Il était simplement monté dans la voiture, tel un petit agneau innocent, et ne s'était à aucun moment soucié de regarder à travers la vitre pour voir où on l'emmenait. Bien évidemment, il était monté par erreur dans la voiture d'un autre et s'était retrouvé à Orly au lieu de Roissy. Oups !

Il a eu l'air déconcerté quand je lui ai expliqué que le mieux que je pouvais faire pour remédier à cette situation, c'était de lui réserver une place sur un autre vol (sous un nom différent, bien sûr, de façon à ne pas se faire refuser par l'ordinateur) car, MÊME MOI, je n'étais pas en mesure de faire attendre ou de dérouter son avion.

Ne vous inquiétez pas : ce n'est pas parce que vous dirigerez votre chef qu'il ne sera plus en mesure de mener à bien sa mission. Quand la situation économique est favorable et que les salariés changent d'entreprise comme ils changent de chemise, la seule fonction importante d'un manager est la suivante :

▶ SE SOUSTRAIRE À L'ÉVALUATION

La pire des menaces au bonheur sur le lieu de travail est un truc appelé « Évaluation des Performances ». Peu de choses dans la vie sont aussi exaspérantes que d'être soumis à une évaluation critique conduite par l'idiot du village, c'est-à-dire votre chef. Chaque fois que votre chef vous met en balance avec vos objectifs, votre corps se vide d'une dose de bonheur supplémentaire.

On peut essayer de trouver un emploi dans un secteur où l'évaluation des performances n'a pas cours, mais ces emplois-là sont rares. La meilleure des choses à faire est de trouver un poste où vous serez évalué sur des trucs qui n'ont rien à voir. Cela vous permettra de pervertir le système juste pour le plaisir.

Par exemple, moi, après avoir fini mes études, j'ai été employé de banque. Mes seuls objectifs évaluables étaient notamment d'éviter de faire des erreurs. Comme j'étais une jeune recrue bien intentionnée, je m'efforçais de fournir une prestation rapide et polie, même si cet objectif-là n'entrait pas en ligne de compte dans mon évaluation. Chaque jour, je traitais deux fois plus de clients que les autres employés. Je faisais également deux fois plus d'erreurs et je me faisais attaquer à main armée deux fois plus souvent (deux fois en six mois). On aurait dit que les problèmes ne cessaient de me tomber dessus. Mes collègues, dont certains furent plus tard inculpés de détournement de fonds, passaient pour des salariés modèles. Leurs journées se déroulaient sans stress, et on leur accordait de généreuses augmentations. De toute évidence, avec ma stratégie de « prestation rapide et polie », j'avais tout faux.

Les caissiers chevronnés étaient malins. Ils avaient compris que la meilleure façon d'éviter de faire des erreurs (et d'être victime d'attaques à main armée) consistait à gérer le moins de clients possible. Les plus intelligents avaient développé des stratégies subtiles et élaborées pour minimiser les contacts avec les clients tout en donnant l'impression de travailler. Durant les quelques minutes quotidiennes où ils s'occupaient effectivement de clients, ils retenaient les plus agréables à leur guichet le plus longtemps possible. Il était courant pour mes collègues, célibataires pour la plupart, de flirter de façon éhontée et d'essayer de décrocher un rendez-vous avec tout client déposant un gros chèque. Moi, pendant ce temps, j'essayais de convaincre des étrangers en colère que, si la banque ne les autorisait pas à faire des retraits sur leur propre compte, c'était dans leur propre intérêt.

J'ai mis longtemps à en prendre conscience : je n'étais pas plus performant que mes collègues, j'étais simplement plus stupide. Le truc qui finit par me mettre la puce à l'oreille quant à leur félonie, ce fut quand je réalisai qu'à chaque fois, contre toute attente et quel que fut le nombre de guichets ouverts, c'était toujours moi qui écopait d'une certaine cliente notoirement difficile. Quand cette cliente apparaissait dans la file d'attente et que son tour venait, mon guichet était toujours le premier à se libérer. Cette cliente infernale avait une petite affaire brassant du liquide dans le voisinage. C'était une femme d'un certain âge à l'air sévère, venue d'un pays où le sourire avait été déclaré illégal depuis des siècles. Elle balançait la recette du jour, un énorme sac de billets crasseux et chiffonnés, et me jetait un regard mauvais tandis que je comptais. Systématiquement, le total auquel j'arrivais était différent du sien. Il s'ensuivait une heure de recherche passionnée de la vérité, y compris sa théorie selon laquelle une partie des espèces se serait volatilisée en cours d'opération par des lézardes invisibles. Lorsque j'ai confronté mes collègues au sujet des probabilités pour que cette cliente atterrisse systématiquement à mon guichet, ils ont avoué. Chaque jour, ils surveillaient du coin de l'œil la file d'attente en attendant qu'elle arrive et, là, ils faisaient traîner leurs clients jusqu'à ce que mon guichet se libère. Mes collègues étaient des rats, mais des rats intelligents. Et ils avaient compris comment préserver leur bonheur au travail.

De : [respect de l'anonymat]
À : scottadams@aol.com

Je travaille dans une équipe de support technique.
Notre manager a décidé que le meilleur étalonnage
de nos performances était le nombre d'appels que
nous traitions chaque jour. Comme nous avons trois
lignes téléphoniques, nous avons découvert que, lorsqu'on prend une ligne pour s'appeler soi-même sur
une autre, cet appel est porté à notre crédit. C'est
formidable. Au central, les statistiques du support
technique sont sérieusement à la hausse, tandis que
le cumul annuel du nombre d'appels extérieurs
marque un repli.

Peut-être cela vous inspirera-t-il de savoir que ce conflit
entre l'évalueur et l'évalué fait rage depuis des milliers d'années, et que c'est toujours le salarié qui gagne. De fait, c'est
la raison pour laquelle certaines des merveilles du monde
ont des formes si étranges.

Prenez la forme pointue des pyramides. Depuis toujours,
c'est une source de débat parmi les érudits. L'une des théo-
ries voudrait que les gens du service marketing du pharaon

se soient inspiré de la forme de leur propre tête. Une autre voudrait que le service marketing ait un jour suggéré le terme de « pyramides », et qu'à l'unanimité on ait trouvé que ce mot évoquait quelque chose de pointu. Les ingénieurs ont donc fait preuve de sagacité en concevant des pyramides pointues : cela leur évitait de passer le restant de leur vie à expliquer pourquoi on n'avait pas appelé les constructions en question des « carrémides ». Des milliards de conversations comme celle-ci ont ainsi pu être évitées :

> **Le touriste :** Vous m'avez dit que vous m'emmeniez aux pyramides.
>
> **Le guide :** Mais ce SONT les pyramides ! Pour la mille et unième fois, elles *devaient* avoir une forme rectangulaire. Mais quand le service marketing du pharaon a fait imprimer les dépliants touristiques, c'était déjà trop tard... Oh, laissez tomber.
>
> **Le touriste :** Remboursez !
>
> **Le guide :** Je hais ce boulot. Allez, ça suffit, remontez sur ce dromadaire.
>
> **Le touriste :** Y'a une bosse* !

Personnellement, il me semble évident qu'on ne peut pas tenir le marketing pour responsable de la forme des pyramides. En ce temps-là, si votre seule compétence se limitait au marketing, votre contribution aux chantiers de grande

---

* NdT : L'auteur fait ici un jeu de mot sur le terme « *hump* », qui signifie entre autre « bosse », mais dont l'acception la plus triviale est à forte connotation sexuelle. Il précise en note : « Dans la première mouture de ce livre, certains ont pu être interloqués par la référence à la bosse. Il s'agit d'une subtile allusion à la bosse sur la banquette arrière de certaines voitures, et en l'occurrence plus précisément à celle du dromadaire, laquelle est plus difficile à éviter. Il n'est nullement question, comme certains ont pu le suggérer, des penchants des touristes en matière de sexualité. »

envergure était circonscrite à la capacité des enduits de jointoiement. Il a fallu des milliers d'années pour que des gens dénués de toute compétence utile réalisent qu'on pouvait gagner de l'argent simplement en portant de jolis vêtements et en concevant des brochures trompeuses.

La véritable raison pour laquelle les pyramides sont taillées en forme de pointe est que les pharaons ont commis l'erreur de ne donner à leurs ingénieurs que deux objectifs évaluables : (1) les dimensions de la base et (2) la hauteur. Dans leur esprit, la construction devait appartenir à la famille des rectangles, mais cela ne fut jamais spécifié nulle part. Les ingénieurs égyptiens ne mirent pas longtemps à imaginer leur petit stratagème. Chaque jour, le pharaon recevait un rapport de l'ingénieur en chef stipulant que la pyramide s'était élevée de trois mètres supplémentaires, et qu'on était en avance sur le planning. Les gratifications – des figues – pleuvaient.

Les ingénieurs ne craignaient pas de se retrouver en mauvaise posture. À l'époque, l'espérance de vie moyenne d'un individu était à peu près la même que celle d'un ver à fruit pris dans un mixer. Il y avait pas mal de probabilités pour que l'ingénieur soit mort avant que le pharaon ne découvre que la surface totale de la chambre-cadeau du dernier étage était d'environ un mètre carré. Au cas improbable où le pharaon décidait de faire une visite surprise sur le chantier, ce n'était pas compliqué : il suffisait de lâcher une énorme pierre à la verticale de son corps fluet et de l'aplatir. Ce fut maintes fois le cas, visiblement, car tous les dessins représentant les familles royales de l'Égypte ancienne montrent des individus tout aplatis.

Bien que l'espérance de vie moyenne se soit considérablement allongée depuis ces temps reculés, la science du management continue à traîner la patte sans amélioration notable, à l'exception d'un changement important :

Aujourd'hui, il est plus difficile d'évaluer
un emploi.

Dans l'économie moderne, des millions de gens occupent des postes dans le cadre desquels leur contribution est impossible à quantifier. Ils font des trucs dénués de sens du genre conception, réflexion, planning, positionnement, constitution de réseaux, communication et création. Ce sont là des choses que votre chef est incapable de voir, et *a fortiori* d'évaluer. Mais il se doit de le faire, car l'évaluation des performances est justement ce qui distingue un manager d'une masse non organique.

Le danger, c'est que tout ce que votre chef sait de vous est fondé sur ce qu'il est capable de voir.

CE QUE VOTRE CHEF SAIT DE VOUS

▶ À quoi vous ressemblez

▶ Le nombres d'heures que vous passez au bureau

Plus que jamais, votre apparence extérieure et votre position géographique sont déterminantes, car ce sont les seuls éléments de vos performances professionnelles que votre chef est en mesure de voir. Vos talents cachés et vos contributions intangibles n'auront qu'un impact mineur sur votre carrière.

L'important est de satisfaire les deux exigences visuelles de votre chef : faire des journées interminables et présenter bien. Si vous n'êtes pas à la hauteur dans l'un ou l'autre de ces domaines, vous aurez constamment votre chef sur le dos, et vous ne serez pas heureux. Voici un exemple parlant :

De : [respect de l'anonymat]
À : scottadams@aol.com

Cet incident est arrivé à un ex-collègue, dans une banque. Appelons-le « Bob ». On avait confié à Bob un projet urgent figurant en tête de liste des priorités. Il fallait notamment concevoir un nouveau produit en un temps très court. Bob fit des journées de 18 heures des semaines durant. Il considérait ses week-ends comme des jours de semaine. Il ne rentrait chez lui que pour dormir. Le projet fut bouclé dans les délais, et le chef de Bob, que nous appellerons « Satan », fut chaleureusement félicité par la direction générale de la banque.

L'entretien d'évaluation de Bob tombait la semaine suivante.

L'entretien dura cinq minutes. Satan fit asseoir Bob et lui dit : « Bob, vous allez sans doute être déçu par l'appréciation que je vous ai donnée. D'une manière générale, votre travail a été satisfaisant ; toutefois, vous avez deux problèmes qu'il est important de soulever. Le premier, c'est que je ne vous ai jamais vu passer une journée sans déboutonner votre chemise et déserrer votre cravate. Le second – et ceci est plus embêtant – vous avez pris ce tic de vous étirer et d'enlever vos chaussures au bureau. C'est franchement choquant. Sans ces problèmes, je vous accorderais un franc « Qualifié ». Mais, pour le coup, vous êtes débraillé, et j'ai bien peur que cela vous vaille un « Doit faire ses preuves. »

Bob est aujourd'hui en négociation avec des cabinets de recrutement.

En ce qui concerne l'élégance, je suis mal placé pour vous donner le moindre tuyau. J'ai passé la plus grande partie de ma carrière parmi des ingénieurs. La meilleure suggestion qu'on m'aie jamais faite a été celle d'un ingénieur qui portait des sortes de bottines montantes habillées. Son raisonnement était le suivant : comme les bottines recouvraient complètement ses chaussettes, personne ne savait qu'il portait toujours le même genre de chaussettes blanches. Et comme une paire de chaussettes blanches ressemble à s'y méprendre à une autre paire de chaussettes blanches, il était non seulement impeccable, mais en plus il gagnait du temps en triant son linge. Voilà toutes mes connaissances en matière d'élégance.

En revanche, je suis hautement qualifié pour vous enseigner le secret des journées interminables passées au bureau à ne fournir comme seul travail, ou presque, que la recherche de son propre bonheur. Suivez les conseils des pages qui suivent, et vous pourrez transformer vos heures de bureau en paradis de vacances virtuelles.

3

Télétravail inversé

Ce n'est pas moi qui ai inventé le terme de « télétravail inversé », mais j'aurais bien aimé. Cela fait référence au processus qui consiste à apporter son travail personnel au bureau. Je ne connais pas de meilleur endroit pour régler ses factures, jouer à des jeux, suivre les fluctuations de ses actions, organiser ses courses, appeler ses amis ou faire des photocopies. Aux yeux d'un observateur non averti, tous ces trucs ressemblent à du travail. Tout cela grâce à votre ami, Internet.

▶ CONNECTIONS À INTERNET

Si vous n'avez pas accès à Internet depuis votre cellule de travail, connectez-vous d'urgence. C'est la Rolls-Royce de tous les divertissements. Si votre emploi ne justifie pas une connexion légitime au web, changez-en immédiatement. Acceptez une réduction de salaire s'il le faut. Si vous ne passez pas vos journées à faire joujou sur Internet, vous sous-exploitez les actionnaires.

De nombreuse entreprises vérifient à quoi leurs salariés utilisent Internet. Il est possible pour certains managers d'obtenir des relevés détaillant qui a surfé sur quoi. Certaines entreprises vont plus loin, en bloquant l'accès aux sites du web spécialisés dans les jeux. Évitez à tout prix ce genre d'entreprises.

Lors de votre entretien d'embauche pour votre nouvel emploi, demandez si tous les salariés ont un accès illimité à Internet. Si la personne qui mène l'entretien répond oui, levez le bras en l'air, bandez les muscles et hurlez : « Youpiii-i-i-i! » Il est bon de faire preuve d'enthousiasme au cours des entretiens d'embauche. Demandez ensuite si l'entreprise offre des massages-fauteuil intra-muros à ses salariés. Si la personne qui conduit l'entretien dit oui, exigez qu'on vous administre le vôtre séance tenante, puis mettez-vous torse nu. Voilà le genre d'entreprise avec lesquelles on a envie de travailler. Ne placez pas la barre plus bas.

▶ RUMEURS SEXUELLES DANS LES BUREAUX PAYSAGERS

On n'a pas besoin de gadgets pour s'amuser dans une cellule de travail. Il y a suffisamment de rumeurs qui circulent au sujet de salariés qui y auraient eu une expérience sexuelle pendant leurs heures de travail. Si vous vous y prenez bien, vous aussi vous aurez peut-être la chance d'entendre ce genre de rumeurs. Il n'y a aucun espoir pour que vous ayez une telle expérience dans votre cellule de travail. J'en suis arrivé à la conclusion que, cet espoir, personne ne l'a jamais eu. Mais vos oreilles capteront peut-être des rumeurs sympathiques, et, ça aussi, c'est amusant.

Les rumeurs sexuelles en cellule de travail ressemblent aux rumeurs de ces gens qui seraient devenus membres du Club des longs courriers, des individus qui prétendent avoir eu une aventure physique dans un avion en plein vol. J'ai beaucoup voyagé en avion et je n'ai jamais vu quiconque s'y livrer à un acte sexuel. Si tous les gens qui prétendent s'être envoyés en l'air dans un avion de ligne en plein vol disent vrai, il va falloir que je change d'agence de voyages. Moi, la seule chose que je m'envoie en avion, ce sont des minuscules petits bretzels. Je m'estime déjà heureux quand j'arrive à caser mon bagage à main dans les coffres à bagages situés au-dessus de ma tête, alors quant à avoir un vigoureux rapport sexuel sans protection avec un autre passager… Non, j'ai vraiment du mal à croire qu'il y a des gens qui font la bête à deux dos, là-haut.

Je ne dis pas qu'il est impossible que les pilotes vivent des expériences dans le cockpit. Cela expliquerait les turbulences les jours de ciel dégagé, et aussi le fait qu'ils ont toujours la voix des profs de Charlie Brown quand ils font leurs commentaires dans les haut-parleurs :

> Vous voyez actuellement sur la gauche de l'appareil… MWA MWA MWA… La Grande-Motte… MWA MWA MWA… Missionnaire…

▶ YOGA EN BUREAUX PAYSAGERS

Expliquez à votre chef que le yoga fait partie du programme de sécurité du travail recommandé par l'entreprise. Si vous ne connaissez rien au yoga, pas d'inquiétude. Je vais vous en enseigner les techniques de base. Croyez-le ou non, mais je m'y connais plus en yoga qu'en économie. On distingue deux genres de yoga :

LES DEUX GENRES DE YOGA

1. Le genre qui fait atrocement mal

2. Le genre qui donne l'impression qu'on dort

Je conseille le second genre. Ce qu'il y a de plus dur, quand on fait du yoga, c'est de garder la tête droite une fois qu'on s'est assoupi. Les maîtres yogis ont appris à dormir des jours d'affilée sans que leur tête ne bascule et ne casse net leur petit cou fluet. Tant que vous n'aurez pas atteint un tel degré de contrôle, envisagez de porter une minerve – comme celle que portent les victimes d'accidents. Votre tête sera ainsi maintenue en position verticale, et vous pourrez dormir confortablement dans votre fauteuil. Dites aux gens que vous vous êtes blessé lors d'une chute de ski. Vous passerez pour un élément qui a le goût du risque et qui a l'esprit sport. Cela vous attirera sympathie et respect. Si ce genre de mensonge vous met mal à l'aise, portez un col roulé afin de dissimuler la minerve.

Si votre pratique du yoga ne vous rapproche guère de l'illumination et que cela vous inquiète, essayez d'y ajouter un mantra. Un mantra est un mot ou une séquence de mots que l'on répète à l'infini jusqu'à tomber de sommeil. Je vous recommande le mantra que j'ai chanté chaque jour au bureau pendant dix-sept ans : rentrer chez moi... rentrer chez moi... rentrer chez moi...

Une fois que vous aurez maîtrisé l'art de dormir assis en gardant la colonne vertébrale bien droite, combinez cette technique avec celle décrite ci-dessous, et les portes du succès s'ouvriront grand devant vous :

De : [respect de l'anonymat]
À : scottadams@aol.com

Il y a quatre ans, j'ai été engagé comme consultant. On me fit savoir qu'un nombre impressionnant de projets m'attendaient pour être menés à bien. J'ai fait acte de présence pendant trois semaines avant de réaliser qu'il n'y avait pas le moindre travail à fournir.

Au moyen du système Windows de mon PC, j'ai enregistré le son d'une fenêtre qu'on déplace, le son d'une application qu'on lance et le son d'une application qu'on quitte. Je passais des heures assis, là, la main sur la souris, à fixer l'écran qui s'animait tout seul. On m'a finalement nommé chef de projet, car j'étais le seul à fournir un travail !

▶ TUYAUX POUR FAIRE LA SIESTE (SUITE)

Annoncez à tout le monde au bureau que vous êtes obligé de porter des lunettes de soleil pour vous protéger les yeux. Non seulement cela vous donnera un air hyper-cool mais, en plus, vous ne raterez plus une seule occasion de dormir pendant vos heures de travail. Si vous vous tracassez à l'idée que votre absence totale de réactions peut vous trahir en réunion, c'est que, visiblement, vous n'avez jamais assisté à une réunion. En réunion, il y a toujours au minimum une personne qui ne dit rien. Cette personne, ça pourrait être vous. Le seul risque véritable, c'est qu'on vous prenne pour une chiffe molle dont il n'y a rien à tirer, plutôt que pour un élément précieux ayant l'esprit d'équipe.

Pour donner le change face à cette perception pertinente, je recommande l'usage du « rictus entendu » durant vos rares moments de lucidité. Le rictus entendu est une technique que j'ai développée pour paraître plus intelligent que je ne le suis en réalité. Le procédé est simple : en réunion, vous attendez que quelqu'un sorte quelque chose d'incompréhensible, et, là, vous esquissez un léger sourire, comme si vous saviez exactement de quoi il retourne. Assurez-vous que tout le monde vous ait bien vu. Les observateurs ignares auront l'impression que vous captez quelque chose qui jette dans la perplexité tout le reste de l'assistance. De plus, vous le captez avec une telle acuité que vous percevez même l'humour et l'ironie qui se cachent derrière. Vous êtes un individu complexe qui opère à de multiples niveaux. Pas une chiffe molle dont il n'y a rien à tirer.

Le rictus véhicule un signal révélant que vous êtes de ces individus calmes et sûrs d'eux qui n'ont pas besoin de parler car ils n'ont rien à prouver. C'est l'unique leurre que vous aurez à poser pour être en mesure de faire de longues siestes sans éveiller le moindre soupçon, quel que soit l'ordre du jour.

Si l'on vous pose une question, comptez sur l'un de vos collègues pour vous couper la parole et éblouir la pièce avec un ramassis d'inexactitudes et d'erreurs d'interprétation. Les choses ne se passeraient pas différemment si vous étiez éveillé.

Si les lunettes noires ne vous vont pas, voici quelques autres techniques pour vous aider à obtenir un repos bien mérité, sans pour autant céder aux déraisonnables exigences de productivité de votre employeur :

De : [respect de l'anonymat]
À : scottadams@aol.com

La meilleure façon de faire la sieste au bureau est une technique qu'utilisait l'un de mes amis. Nous avons de vrais bureaux, avec de vraies portes. En revenant de déjeuner, il rentrait dans son bureau et « renversait » sa boîte de trombones à une distance d'environ deux mètres de la porte. Puis il s'allongeait et s'endormait, les pieds contre la porte et la main dans le tas de trombones. Si quelqu'un frappait, il se mettait vite à quatre pattes et lançait : « Entrez… Excusez-moi… Je ramasse juste un truc que j'ai renversé. »

De : [respect de l'anonymat]
À : scottadams@aol.com

Voici un moyen pour dormir au boulot que j'ai découvert il y a environ trente-cinq ans, et qui marche toujours aussi bien ! Placez une feuille de papier sur le sol juste en dessous de votre bureau, à l'endroit où on met les pieds. Laissez pendre un bras vers la feuille, placez l'autre au bord de votre bureau, et servez-vous-en comme d'un oreiller pour votre tête.

Posez la tête sur le bras et endormez-vous. Sitôt que vous entendez quelqu'un entrer, poussez un léger grognement tout en étendant le bras ballant vers la feuille de papier, et ramassez-la. On a véritablement l'impression que vous êtes en train de ramasser une feuille de papier qui serait tombée par terre. J'ai maintes fois appliqué cette technique et si, aujourd'hui, je suis demandeur d'emploi, ce sont pour des raisons qui n'ont absolument rien à voir avec ça, croyez-moi !

SOUHAITE-MOI BONNE CHANCE. JE ME RENDS À MON ENTRETIEN D'ÉVALUATION.

TU VIENS DE FAIRE LA SIESTE ? TU ES RONGÉ PAR UNE CLAVIÉRITE FACIALE AIGUË.

VOUS AVEZ UN PROBLÈME AU VISAGE ?

J'AI ATTRAPÉ L'AZERTYUIO-PITE. C'EST QUAND ON TRAVAILLE TROP.

▶ LA MULTIGLANDE

Si vous n'êtes pas équipé d'un combiné mains libres pour votre téléphone, procurez-vous-en un, même si vous devez le payer de votre poche. Une fois convenablement équipé, vous pourrez passer vos coups de fil personnels, tout en utilisant simultanément votre ordinateur à des fins de divertissement privé. Pour l'observateur lambda, tout semble indiquer que vous cumulez deux activités directement liées à votre travail. En réalité, vous êtes en train de vous livrer à ce qu'un lecteur de Dilbert a appelé la « multiglande », c'est-à-dire le cumul de deux activités extra-professionnelles.

La multiglande n'est pas simplement une activité sympathique : elle multiplie par deux les chances de faire croire à un observateur que vous vous livrez AU MINIMUM à UNE activité directement liée à votre travail.

▶ FAIRE SEMBLANT DE TRAVAILLER

Nombreux sont les moments dans une journée de travail où l'on rêverait d'être payé à se balader dans les couloirs. Ce rêve, vous pouvez le réaliser. La seule chose dont vous ayez besoin, ce sont des outils appropriés.

De : [respect de l'anonymat]
À : scottadams@aol.com

Pour éviter de travailler, promenez-vous avec une torche électrique et un bloc entre les mains. Inspectez votre zone de travail, marquez un arrêt régulièrement, braquez la torche en direction du plafond, puis écrivez n'importe quoi sur votre bloc.

Un bloc et une torche électrique, c'est un bon début, mais, pour être plus convaincant, essayez le mètre-ruban et le gros entonnoir. Si quelqu'un vous demande ce que vous êtes en train de faire, hochez simplement la tête et dites : « Ce serait trop long! ». Cette approche se révélera performante quelle que soit la paire d'articles dépareillés à laquelle vous aurez recours, par exemple : batterie automobile et pelote de ficelle, ou encore rouleau à peinture et pot de miel. L'individu qui arpente les couloirs avec ce genre d'attirail sous le bras fait passer le message suivant : « J'ai une longue et pénible histoire à raconter, si seulement quelqu'un avait une heure ou deux à me consacrer. »

De : [respect de l'anonymat]
À : scottadams@aol.com

Voici quelques-unes de mes techniques favorites pour faire semblant de travailler.

- ▶ Effacer mon tableau, puis réécrire des trucs dessus.
- ▶ Repositionner deux ou trois fois par jour sur mon bureau les Post-it et autres couillonnades.
- ▶ Dans la mesure du possible, attendre systématiquement que mon chef parte déjeuner, puis partir déjeuner aussitôt. Pour le coup, je suis sûr d'avoir au moins une heure et demie devant moi sans qu'il puisse savoir précisément combien de temps je me suis absenté.
- ▶ Consacrer une vingtaine de minutes à envoyer, au nez et à la barbe de tout le monde, des e-mails censés être drôles à des dessinateurs de BD de renommée internationale.

De : [respect de l'anonymat]
À : scottadams@aol.com

Je travaille pour l'administration des Ponts et Chaus-
sées. Pour faire croire que je travaille, je me poste
sur l'accotement comme si je voulais traverser la
route et que j'attendais une interruption de trafic pour
pouvoir le faire. Quand aucune voiture ne m'empêche de traverser, personne n'est là pour se rendre
compte que je rêvasse.

▶ INVENTIONS TRÈS ATTENDUES

Les bureaux sont certes bien équipés pour assurer notre
divertissement, mais un certain nombre de gadgets restent
encore à inventer pour que le forçat de la cellule de travail
puisse atteindre le nirvana dans les murs de l'entreprise.

PÉRISCOPE SPÉCIAL CELLULE DE TRAVAIL

J'attends que quelqu'un invente ce que j'appelle le
« Périscope spécial cellule de travail ». Ce serait un appareil
de type périscope conçu spécifiquement pour les bureaux
paysagers, et qui consisterait en une simple caméra vidéo
montée sur un mât télescopique. L'utilisateur contrôlerait les
déplacements de la caméra vers le haut, vers le bas et à
360° à partir d'un logiciel de son PC, qui servirait de tableau
de bord. La caméra enverrait un signal et l'image apparaî-
trait à l'écran dans une petite fenêtre. La chose serait d'une
aide inestimable pour vous signaler l'approche de supérieurs hiérarchiques ou de collègues assommants. On pourrait s'amuser des heures durant à rechercher des cibles à
torpiller. L'idéal serait que le logiciel soit doté d'un viseur

permettant de repérer avec précision les passants-cible, puis de les anéantir – du moins au sens virtuel du terme. Cela fonctionnerait de la manière suivante : le logiciel mettrait en adéquation deux images vidéo : celle d'avant et celle d'après l'instant où votre cible est entrée dans le champ. Le programme générerait ensuite une image de la mise à feu des torpilles, laquelle serait suivie d'une explosion virtuelle à l'écran. Après quoi, le logiciel reviendrait immédiatement à l'image vidéo telle qu'elle apparaissait juste avant l'instant où la cible est entrée dans le champ. On aurait l'impression d'atomiser ses victimes. Les destructions les plus satisfaisantes seraient mises en mémoire sur fichier-vidéo pour être visionnées ultérieurement.

DÉTECTEUR DE MOUVEMENTS

Autre invention très attendue, le détecteur de mouvements « spécial cellule de travail », doté d'un port infrarouge assurant le transfert des données vers votre ordinateur. Je vois déjà au moins trois applications possibles pour un tel appareil. Quand on joue à des jeux vidéo ou qu'on navigue sur le web aux frais de l'entreprise, quelqu'un peut vous surgir dans le dos sans prévenir. Voilà qui peut porter préjudice à une carrière. L'avantage du détecteur de mouvements, c'est qu'il peut transférer des données vers votre ordinateur à la vitesse de la lumière. En l'occurrence, la vitesse est plus que jamais importante. Sitôt que quelqu'un approche, le détecteur de mouvements déclenche un programme en arrière-plan de votre PC. Ce programme range automatiquement votre fenêtre de jeu, et en fait jaillir une autre, liée à votre travail celle-là. Il devient littéralement impossible à quiconque de se glisser subrepticement derrière vous et de vous surprendre en train de faire joujou.

Autre usage possible pour le détecteur de mouvements : faire peur aux gens qui s'introduisent dans votre cellule de travail en votre absence. Il suffirait de lui assigner un programme qui, dès qu'un individu violerait les limites de votre territoire, déclencherait la lecture d'un puissant fichier-son :

> **Vous venez de pénétrer dans la cellule de travail de Scott Adams. Ne laissez rien sur son fauteuil. Ne vous servez pas de son téléphone pour vos communications longue distance. Ne lui empruntez pas ses manuels d'utilisation pour ordinateurs. Ne mâchouillez pas le capuchon de son stylo en lui laissant des messages. Ne jetez pas de produits toxiques dans son conteneur à déchets recyclables. Et maintenant, sortez.**

Et troisièmement, votre détecteur de mouvements pourrait être l'un des composants d'un détecteur de stupidité, comme l'invention ci-après de Dogbert :

CHAÎNES CÂBLÉES AU RABAIS

J'aimerais que quelqu'un invente un bouquet câblé spécialement conçu pour les forçats de la cellule de travail, accessible via un simple poste de téléphone. Ce bouquet proposerait aux abonnés des versions audio de leurs émissions de télé préférées. L'abonné composerait un numéro d'appel local, puis sélectionnerait les chaînes au moyen des touches du téléphone. On pourrait se brancher sur son feuilleton TV ou son *talk show* favori, se caler au fond de son fauteuil, fermer les yeux, et passer un agréable moment. On n'aurait pas l'image, mais ce ne serait pas une perte insurmontable. Jean-Pierre Foucaud ou Mireille Dumas ne changent pas tant que ça d'un jour à l'autre. Et souvenons-nous que, la plupart du temps, l'autre possibilité consiste à fournir un réel travail.

Une autre application, sur la base d'un abonnement similaire, offrirait un service accessible par simple pression sur une touche de votre téléphone. Cette chaîne-là mixerait à l'infini des phrases toutes faites empruntées au monde des affaires. Calez-vous dessus, activez le haut-parleur intégré de votre téléphone, et faites semblant d'être en « communication à trois. » Cela vous conférera l'autorité morale pour chasser du bureau toute personne approchant d'un peu trop près du récepteur.

LIVRES FURTIFS

J'aimerais voir des livres imprimés sur du papier standard, du type de celui qui sort des copieurs. On pourrait être assis à moins d'un mètre du chef, lire un roman d'amour plein d'histoires de corsages déchirés, et, malgré tout, avoir l'air du plus acharné au travail de tous les salariés présents dans la pièce. Particulièrement si on est rouge de transpiration. L'idéal serait que certaines phrases du « livre » soient surlignées de manière aléatoire, afin de lui donner cet aspect caractéristique des ouvrages « travaillés ». Le packaging inclurait un marqueur jaune fluo, de façon à ce que le lecteur donne l'impression d'être prêt à surligner davantage à tout moment. Des indications scéniques placées dans la marge lui stipuleraient à quels moments stratégiques pousser des grognements ou des soupirs, pour faire « pro ». Exemple :

Le pirate la souleva d'un geste brusque et gravit les marches de l'escalier de marbre en la portant à bout de bras jusqu'à la chambre

principale, où, là **[note au lecteur : expirez
brusquement et faites semblant de surligner
un passage]**, il lui serra la main avant de
prendre congé pour aller jouer comme arrière
dans les rangs de l'équipe de division nocturne
de basket.

Autre source de divertissement pour lire aux frais de
l'entreprise : les livres passés dans le domaine public et cir-
culant librement sur Internet grâce à Project Gutenberg, disponibles à l'adresse suivante : *http : //promo.net/pg*. À l'aide
de votre navigateur personnel, téléchargez depuis chez vous
les classiques qui ne tombent plus sous le coup d'un copy-
right. Puis envoyez-les-vous par e-mail au bureau ou trans-
férez-les sur votre portable. Le plaisir savoureux que distil-
lent les écrits gaillards de Dickens vous permettra
d'échapper mentalement à l'oppression du bureau.

4

Rire au détriment des autres

C'est dans le pouvoir magique du rire que réside le moyen le plus rapide d'accroître son bonheur au travail. Le rire, c'est bien connu, exerce une influence favorable sur notre humeur. Mais des chercheurs ont découvert qu'en plus le rire était bon pour la santé. Je pense que leurs conclusions s'appuient sur le fait qu'on a rarement vu quelqu'un rigoler sur son lit de mort.

Puisque la Science ne nous précise pas quelles causes de rire sont les plus indiquées pour la santé, je recommanderai de rire des autres – et en particulier de ses collègues –, du moins en attendant qu'on nous fournisse plus de données. Si parmi vos connaissances vous avez des chercheurs, riez d'eux également. Comme ils comprendront que vous le faites pour raisons médicales, ils n'en feront pas une affaire personnelle.

D'un point de vue purement quantitatif, il est plus logique de rire des autres que de rire de soi-même. Vous êtes un individu unique, alors que des « autres », il en naît des pelletées chaque minute. Certains dans le lot sont même désopilants sans même avoir à se forcer.

Si vos collègues ne vous assurent pas le niveau de divertissement souhaité, ne vous accommodez pas de la situation. Apprenez à nourrir le potentiel divertissement en eux (un peu comme le paysan nourrit sa vache, à cette nuance près que vous n'avez pas besoin de toucher les tétons).

Le travail à la ferme offre une bonne analogie, et je sais de quoi je parle. Quand j'étais jeune, j'ai travaillé à la ferme de mon oncle, spécialisée dans l'industrie laitière. Je suis devenu expert en tout ce qui a trait aux vaches. Tous les enseignements qui s'appliquent à une vache s'appliquent également à un collègue. Les similitudes ne manquent pas. Prenez la définition du mot vache, par exemple : « gros mammifère stupide qui se nourrit de blé et le transforme en purin ». Et celle du mot collègue : « gros mammifère stupide qui se nourrit de Pépito et les transforme en transparents Powerpoint ». Vous me direz qu'un Pépito, ce n'est pas la même chose que du blé (pour faire un Pépito, il faut y ajouter du sucre et faire cuire); mais je dirais que, là, on coupe les cheveux en quatre.

L'une de mes tâches prioritaires à la ferme consistait à me rendre dans un marécage paumé, que mon oncle appelait pâturage, pour rassembler le troupeau. Le jour, les vaches traînaient sur le pâturage, à ruminer (en langue vache, c'est le terme qu'on emploie pour dire mâcher un chewing-gum). En fin de journée, il fallait les rassembler et les mener à l'étable pour la traite. Mon job à moi consistait à les mener à l'étable. Je ne travaillais pas seul : j'avais un collègue, un chien de troupeau hautement qualifié répondant au nom de Ringo. Ringo était respecté des vaches. C'était un leader-né. Il suffisait qu'il aboie pour qu'instantanément les vaches s'alignent en rang dans l'étable, offertes à la traite. Les vaches étaient loin d'avoir autant de respect pour moi. Les jours où je travaillais seul, lorsque, par exemple, Ringo prenait le volant de la camionnette pour aller faire des provisions en ville, le degré de coopération auquel j'avais droit n'était pas du tout le même.

On aurait dit que mes tentatives en solo pour rassembler le troupeau incitaient le bétail à jouer à cache-cache. Les vaches passèrent maître dans l'art du déguisement. Certaines s'immergeaient dans les eaux du marécage et respiraient à l'aide de tubas. D'autres prenaient la fuite et se faisaient inviter sur le plateau de *talk-shows*, où elles passaient au maquillage, puis s'intégraient dans la société.

Ma technique préférée en matière de rassemblement de troupeau consistait à hurler une phrase inintelligible qu'on se transmettait de paysan en paysan depuis des décennies. Un truc dans le genre : KEWBOSSIE!! KEWBOSSIE!! Personne ne sait au juste ce que cela signifie, à commencer par les vaches elles-mêmes, lesquelles étaient affairées à se construire des villes souterraines. L'autre technique à laquelle j'avais recours consistait à poursuivre chacune des vaches en brandissant un bâton menaçant. Toute personne, homme ou femme, travaillant à la ferme devait se tailler son propre bâton menaçant dans des arbres que l'on plantait spécifiquement à cette fin. Le défi consistait à atteindre un subtil équilibre entre raideur, longueur et coefficient d'accélération. (Ce qui, aux yeux des citadins mielleux et habiles, pourrait passer pour un système de cruauté organisé envers les animaux était un truc que nous appelions « élevage ».) Une à une, je débusquais chacune des vaches cachées et, tout en hurlant KEWBOSSIE!! KEWBOSSIE!!, je lui flanquais une vigoureuse dérouillée avec mon bâton menaçant.

Comme vous vous en doutez peut-être, l'impact obtenu était absolument nul. Je me résolus donc à attendre que Ringo soit rentré de faire ses courses, qu'il ait préparé le dîner et qu'il ait fini d'améliorer le système électrique de l'étable. Il faisait le tour des lieux d'un pas nonchalant, aboyait deux fois, et il me regardait comme si j'étais un gros ramassis de transparents Powerpoint. C'était franchement humiliant. Ce fut là une formation idéale pour ma future vie dans l'Amérique des affaires. S'agissant du bonheur de martyriser ses collègues, ces vaches m'ont donné de précieuses leçons.

▶ MARTYRISER LES COLLÈGUES

Un excellent moyen de se divertir au travail consiste à aborder en permanence des thèmes dont on sait qu'ils déclencheront chez ses collègues des spasmes de rage. Si vous travaillez avec un ou une passionné(e) d'écologie, attaquez votre prochaine réunion en mettant l'accent sur le fait que votre projet risque d'anéantir une espèce particulière de salamandres. Cloturez le débat en déclarant que ce n'est pas grave, car rien ne ressemble plus à une bestiole qu'une autre bestiole. Puis calez-vous dans votre fauteuil et savourez la réaction.

Le martyre infligé donnera des résultats d'autant plus satisfaisants qu'on exploitera les automatismes professionnels des uns et des autres, chacun dans sa discipline respective. Les gens du marketing, par exemple, sont entraînés à mettre une forme sur une substance, pour faire oublier aux clients à quel point ils se font tondre. Pour les gens qui travaillent dans des domaines plus techniques, c'est quasiment l'inverse. Les gens de la technique sont formés à éliminer tout ce qui est superflu. C'est la raison pour laquelle réunir dans une même pièce les gens du marketing et ceux de la technique pour les soumettre à un léger mouvement de torsion est un vrai bonheur. Voici quelques petits trucs rigolos à sortir aux divers services :

TRUCS RIGOLOS À SORTIR AUX GENS DU MARKETING

▷ « Pourquoi ne pas dire la vérité aux clients, tout simplement ? »

▷ « J'ai remarqué que, sur la nouvelle brochure, certains mots étaient mal orthographiés. Ça vous pose un problème si on corrige à la main et qu'on envoie comme ça ? »

▶ « On voit vos plombages quand vous parlez ! »

TRUCS RIGOLOS À SORTIR AUX GENS DE LA TECHNIQUE

▶ « Nous ne ferons que deux ou trois modifications. Inutile de refaire des tests. »

▶ « On est tous d'accord pour dire que c'est Microsoft qui fait les meilleurs logiciels ? »

▶ « Vous n'allez tout de même pas *refaire* une formation ! Vous en avez déjà suivi une l'an passé ! »

▶ « J'ai besoin de votre prototype unique pour aller faire une démonstration chez un client. Je ne le perdrai pas. »

▶ « Je ne sais pas ce dont j'ai besoin, mais concevez-moi un truc basé sur cette conversation, et je vous ferai savoir si vous m'avez bien compris. »

TRUCS RIGOLOS À SORTIR AUX GENS DE LA GESTION

▶ « Si mes frais ne rentrent pas en totalité dans le budget, n'est-ce pas la preuve que l'estimation de budget est une farce ? »

▶ « Faites-moi une avance tout de suite, et je me débrouillerai pour obtenir les approbations de budget plus tard. »

▶ « Comment ça, vous n'êtes pas en mesure de m'accorder un budget plus important ? Changez les chiffres dans vos feuilles de calcul et puis c'est tout ! »

▶ « J'ai enregistré un excédent budgétaire en fin d'exercice mais soyez sans crainte : j'ai redressé ça. »

▶ « Ça pose un problème si je dépense ma dotation aux amortissements en voyages ? »

TRUCS RIGOLOS À SORTIR AUX GENS DES VENTES

▶ « Vos précommandes sont excellentes, mais nous avons changé d'avis : nous ne commercialiserons pas ce produit. »

▶ « Nous devrions revoir le détail de votre rémunération et augmenter la part de vos primes d'objectifs. »

▶ « Pourquoi n'emmèneriez-vous pas un des ingénieurs avec vous à la réunion-clients ? »

▶ LANCER DES RUMEURS TOTALEMENT DÉNUÉES DE FONDEMENT POUR RIGOLER

Lancer des rumeurs totalement dénuées de fondement, susceptibles de faire l'effet d'une bombe, est un truc très rigolo à faire au bureau. Voilà une forme de motivation des salariés dont les ouvrages à gros tirage parlent peu. Suivez mes excellents conseils, et vous allez voir : vos collègues vont se mettre à courir en tous sens et à glousser comme des poules qui se rouleraient dans du poil à gratter après qu'on leur a fait boire un tonnelet de café noir. Ce qui va suivre a l'air drôle, et pour cause.

L'idéal est d'entretenir un léger flou autour de vos rumeurs. Laissez à vos crédules collègues le soin de remplir les blancs avec ce qui les hante le plus. C'est un truc que j'ai appris quand je servais dans la marine, au sein des Navy SEALS. Enfin, techniquement, je l'ai appris lorsque je travaillais comme analyste financier dans une grande banque, ce qui revient à peu près au même que d'être dans les Navy

SEALs*. Les analystes financiers étaient toujours les premiers informés des changements majeurs dans l'entreprise. Nous étions tenus par le secret professionnel, mais cela ne nous empêchait pas de laisser filtrer de redoutables signes de malédiction imminente.

COMMENT FAIRE PEUR AUX COLLÈGUES

Moi :   Bob, j'ai besoin de vos estimations de budget pour demain. C'est urgent.

Bob :   D'accord.

Moi :   Ted, même chose. Il me faut vos estimations de budget pour demain *sans faute*.

Ted :   Ce sera fait.

Milton :   Euh… J'imagine que vous voulez les miennes également pour demain ?

Moi :   Faites ce que vous voulez.

---

* Les Navy SEALs ont un code d'honneur leur interdisant d'abandonner derrière eux un camarade blessé. Les analystes financiers présentent la particularité de torturer les leurs, juste pour le plaisir de les voir hurler. En dehors de cela, c'est la même chose.

Et puisqu'il est question d'Ardèche, les meilleures rumeurs sont celles qui – si elles étaient fondées – rendraient votre travail à peu près aussi agréable qu'une mission du type : nettoyer à coups de langue, en plein mois de février, le mont Gerbier-de-Jonc, tandis que votre chef vous hurlerait aux oreilles : « Et n'oubliez pas les recoins ! »

Voici quelques rumeurs qui feront glousser vos collègues :

RUMEUR DE DÉLOCALISATION

Dites à vos collègues qu'il vous est parvenu aux oreilles que l'entreprise allait être délocalisée dans un lieu où le coût de la vie est PLUS que raisonnable. Vous ne connaissez pas les détails, mais vous avez eu vent qu'on peut y faire l'acquisition d'une maison de cinq pièces, avec toit en peau de bête, pour moins de trente francs. Le bruit court que, dans ce nouveau lieu, le taux de criminalité est virtuellement égal à zéro, principalement parce que les délinquants préfèrent s'établir dans les quartiers pauvres, où ils s'entretuent au volant lors de rodéos sauvages qui tournent à la fusillade. La pire des choses qui puisse vous arriver sous de telles latitudes, c'est de vous faire enlever durant votre sommeil et de vous retrouver forcé à épouser un ou une éleveur de rennes. Cela pourra paraître un peu rude aux gens qui n'aiment pas la barbe de plusieurs jours, mais la bonne nouvelle, c'est qu'on peut manger du fromage de renne à discrétion.

Et que vos collègues ne s'inquiètent pas si, là-bas, les bulletins météorologiques sont donnés en termes de taux de suicide. C'est la routine. Quoiqu'il en soit, les salariés auront le choix : soit déménager avec l'entreprise, soit accepter de généreuses indemnités de départ, lesquelles consisteront en leurs effets personnels jetés au fond d'un sac poubelle de 100 litres, balancé depuis le toit sur la tête de piétons douteux.

L'entreprise en est bien consciente : se délocaliser peut-être une source de stress. Aussi a-t-elle décidé de prendre le problème à bras le corps en proposant un week-end de brie-

fing obligatoire intitulé : « N'ayons pas peur du changement. »
Préparez-vous à interpréter un sketch satirique sur le thème :
« Les effets positifs de la peur sur la pratique de l'aérobic. »

RUMEUR DE NOUVEAU CHEF

Lancez une rumeur selon laquelle vous allez avoir un
nouveau chef de vingt-trois ans. Dites à tout le monde qu'elle
travaillait comme manucure jusqu'à ce que votre don Juan de
PDG la « découvre ». Son expérience managériale comprend
notamment l'élevage de dizaines de chiens dans son apparte-
ment jusqu'au jour ou la SPA lui en a enlevé la garde.

Elle aurait déclaré : « J'ai géré des cuticules pendant plus
de sept mois. En quoi les cellules pourraient-elles être si différentes ? À quelques lettres près, c'est rigoureusement la
même chose*. »

C'est un fait établi qu'elle a toujours entretenu de bons
rapports de travail avec les cadres de direction, au nombre
desquels figurent le PDG de l'entreprise – un homme
marié –, le proviseur de son lycée, ainsi qu'un type qui s'ha-
billait toujours en marron, à l'en croire un cadre haut placé,
car il avait obtenu l'autorisation d'emprunter une camionnette U.P.S. pour se rendre à leurs rendez-vous galants.

Bien qu'ayant une instruction sommaire, elle s'est pour
ainsi dire formée sur le tas, notamment à l'arrière de la
camionnette U.P.S.

RUMEUR D'EXPERTISES GRAPHOLOGIQUES

Expliquez à vos collègues que vous êtes mandaté par la
Sécurité pour demander à chaque salarié un échantillon de
son écriture, mais que vous n'êtes pas habilité à dévoiler

---

* NdT : L'auteur fait ici un jeu de mots sur « *cuticles* », qui signifie en
anglais cuticules, ou petites peaux, et « *cubicles* », que nous avons
choisi de traduire par « cellules de travail. »

pourquoi. Si l'un d'eux insiste pour en savoir plus, prenez-le à part et expliquez-lui que l'entreprise a fait appel à un expert graphologue capable de déceler les déviances sexuelles sur simple examen d'une pièce manuscrite. À en croire l'expert, les pervers se caractériseraient par une écriture négligée et une tendance aux fautes d'orthographe. Demandez à la personne d'écrire sous votre dictée la phrase suivante : « Les pique-niqueurs mangèrent des brocoli sur un toboggan. » Si votre victime vous demande comment s'orthographie l'un ou l'autre de ces mots, avalez votre salive de façon nettement audible et fuyez l'air épouvanté.

RUMEUR DE CHEF TRANSSEXUEL

Dites à vos collègues que le chef a subi une opération pour changer de sexe, et qu'il est désormais d'une susceptibilité maladive concernant l'emploi de pronoms spécifiant le genre du sujet, tels que « il » ou « elle ». Notifiez aux salariés que l'emploi exclusif de termes neutres – du type « on » – est désormais souhaité afin d'éviter toute scène.

RUMEURS D'ÉCOUTES DANS LES COULOIRS

Dites aux salariés crédules que la direction générale charge parfois un salarié de dissimuler un micro miniaturisé sous sa chemise pour recueillir des informations compromettantes sur d'autres salariés. Ces mouchards sont facilement identifiables, car ce sont eux qui posent le plus de questions. Parfois, ils font semblant de ne pas bien comprendre, juste histoire de vous faire répéter ce que vous venez de dire.

▶ IL N'Y A PAS DE PROBLÈMES, IL N'Y A QUE DES ATTRACTIONS

Vous avez dû l'entendre souvent de la bouche de votre chef : il n'y a pas de problèmes, il n'y a que des solutions. Dans la mesure où il s'agit des problèmes des autres, c'est rigoureusement exact. De fait, ces problèmes sont des opportunités de divertissement peu onéreuses. Je pense que vous en conviendrez avec moi : il n'y a pas d'humour plus satisfaisant que celui qui s'exerce aux dépens de ses collègues.

Si, par exemple, un collègue éploré vient vous trouver en vous disant : « Je vous en prie, c'est urgent ! J'ai besoin de votre aide pour un truc que j'aurais dû faire la semaine dernière, si seulement je n'aurais pas de la bouillie à la place du cerveau ! » (Le collègue en question aura peut-être recours à une syntaxe différente, préférant sans doute « n'avais » à « n'aurais ».)

Votre réaction – en d'autre termes, votre « opportunité » – pourrait ressembler à ceci : « **HA** HA HA HA HA HA !!! ». Ou, si comme moi vous souffrez de dyslexie, à ceci : « HA **HA** HA HA HA HA !!! »

Assurez-vous de ne laisser filtrer aucun signe d'empathie lorsque vos collègues vous racontent leurs problèmes. Chacun sait que faire preuve d'empathie est le signe d'une capacité certaine à éprouver de la culpabilité. Et le sentiment de culpabilité, c'est justement ce que vos collègues cherchent à exalter en vous pour pouvoir vous réduire à l'esclavage, afin de vous astreindre à résoudre leurs petits problèmes personnels. Pour exercer leur emprise, ils s'inventeront toute une série de problèmes que vous seul êtes à même de résoudre. J'appellerai cela la « Stratégie du saut par la fenêtre ». La métaphore est la suivante : vous marchez sur le trottoir quand, soudain, un de vos collègues se jette par la fenêtre depuis le troisième étage. Descendant en piqué, il crie votre nom. Pour une raison que je ne m'explique pas – la piètre construction de cette métaphore, sans doute –, vous savez qu'il ne s'agit pas d'une tentative de suicide ; c'est simplement le meilleur raccourci que votre abruti de collègue a trouvé pour accéder plus vite à sa voiture.

Que faire ? Ne rien faire et le regarder choir, faisant ainsi la démonstration à tout le monde que vous n'avez pas l'esprit d'équipe ? Ou alors faire coussin de votre corps, faisant ainsi la démonstration à tout le monde qu'on peut vous sauter sur la tête, et que ce genre de raccourci est acceptable ?

Par chance, ce ne sont pas les seules options possibles. Je recommanderais une approche plus suave : faites comme si vous *tentiez* d'intercepter le corps dans sa chute, mais que, handicapé moteur, vous étiez incapable d'arriver à temps à l'endroit requis. Cette solution présente de multiples avantages : (1) Vous ne risquez pas de vous blesser. (2) Vous ne passez pas pour un gros égoïste. (3) On ne vous refera pas le coup du raccourci de sitôt. (4) Cela vous donne une sympathique histoire à raconter (en particulier le passage où vous faites votre numéro de handicapé moteur). Et surtout (5) Vous êtes le premier sur les lieux pour les pièces de monnaie libérées au moment de l'impact.

▶ CONTAMINER LES COLLÈGUES

Ce n'est pas parce que vous êtes malade que vous devez rester à la maison. Le corps humain est une admirable machine, capable de résister aux microbes et aux bactéries les plus horribles, puis de les transmettre en toute sécurité aux collègues. Si vous arrivez encore à vous mouvoir, profitez-en pour vous rendre sur votre lieu de travail et savourez l'un des rares moyens légaux permettant de causer des dommages corporels avec préméditation sur la personne d'un collègue.

Il y a toutes sortes de façons de répandre une maladie, notamment *via* les piqûres d'insectes, les mains sales, la vache folle, les procédures type ISO 9000, les rapports sexuels sans protection, les tueurs à gage israéliens et les aiguilles qu'on réutilise. Je ne recommanderai aucune de ces méthodes. Je vois mal qui s'aviserait de répandre une maladie en faisant une piqûre à un insecte, par exemple. Le plus efficace reste à mon avis la combinaison mains sales – toux grasse avec projections.

La toux présente un avantage certain sur l'éternuement. Quand vous toussez, personne ne vous dit « *God bless you**. » C'est un détail qui a son importance, car nul ne sou-

---

* NdT : En anglais : « Dieu te bénisse ». Dans ce contexte, l'équivalent de notre « À tes souhaits. »

haite attirer l'attention du Très-Haut sur ce genre de situation. Je suis bien conscient qu'Il est omnipotent, omniscient et tout ça, et que techniquement, s'Il le souhaitait, Il pourrait voir *absolument tout*. Cela posé, moi, si j'étais un être suprême, je consacrerais peu de temps à regarder des malades. Je me divertirais en allant à la chasse, par exemple.

Rapporter ses microbes au bureau revient à être doté de pouvoirs surnaturels, mais sans ployer sous le fardeau d'une éducation prodiguée par de gentils paysans qui vous gâchent tout le plaisir en vous farcissant la tête de considérations éthiques. Quand on est plein de microbes, on est un peu comme ces vilains assassins de Krypton qui ont réussi à s'évader de prison juste avant que la planète n'explose. Quand on est malade, on fait peur aux gens. Essayez de porter une cape et de grandes bottes pour accentuer l'effet. Puis hurlez : « Incline-toi devant moi ! » chaque fois que vous allez tousser sur un collègue.

▶ RECYCLONS DANS LA JOIE

Si vous travaillez dans une cellule de travail, vous n'avez probablement droit qu'à une petite poubelle minuscule, appelée « conteneur de déchets recyclables » si votre entreprise est soucieuse des problèmes d'environnement. Dans un cas comme dans l'autre, tout cela est camionné par d'énormes engins jusqu'à la décharge municipale, pour être déversé sur la tête des mouettes.

Le problème, c'est que, chaque jour, plusieurs tonnes de déchets difficiles à manier sont déversés dans votre cellule de travail. Parmi eux, de vieux classeurs, des prospectus, des cartons, des cadeaux de fournisseurs, des journaux, des reliefs de nourriture, et j'en passe. Le volume de vos déchets étant largement supérieur à la contenance de votre corbeille, il faut ruser.

Prenons un exemple tout à fait au hasard. Imaginons que vous vouliez vous défaire d'un bidon de 22 litres de virus de la grippe asiatique dont vous n'avez plus l'utilité. Vous en faites quoi ? Il doit bien y avoir, dans le règlement intérieur, une consigne pour ce genre de truc, mais il vous faudrait une journée entière pour mettre la main sur quelqu'un susceptible de vous donner une réponse précise. De plus, vous le savez pertinemment, la réponse que vous obtiendrez est un truc que vous n'avez pas envie d'entendre :

Réglementation
concernant la grippe asiatique

Tout virus de la grippe asiatique doit être coulé dans une couche d'amiante radioactive et enterré pour une durée de dix mille ans dans une carrière de calcaire. Faire certifier devant notaire tout formulaire y afférent. Tenir un échéancier.

Vous pèserez avec circonspection l'option carrière de calcaire, et vous la mettrez en parallèle avec l'autre choix de l'alternative : déposer le bidon de virus dans la cellule de travail de quelqu'un d'autre, un soir avant de rentrer chez vous. Ce quelqu'un fera probablement le même coup à quelqu'un d'autre le jour suivant. Finalement, il se trouvera bien quelqu'un de suffisamment cynique pour aller vider la grippe asiatique dans une fontaine à eau potable, à un autre étage. C'est un moindre mal; la grippe asiatique a disparu et, vous, vous avez la conscience tranquille.

La procédure à suivre est la même pour les déchets non liquides, tels que peaux de banane et cadavres d'animaux. Tant qu'il y aura des gens suffisamment flemmards pour rentrer chez eux encore plus tôt que vous, l'enlèvement d'ordures vous offrira un potentiel de création illimité.

Certaines entreprises fournissent d'élégants conteneurs à déchets recyclables pour chaque cellule de travail. Chez Pacific Bell, l'un de mes collègues avait décidé qu'il n'y avait pas d'endroit plus idéal pour stocker ses documents précieux pendant la journée. Cette méthode fonctionna très bien jusqu'au jour où, au moment de quitter le bureau pour réintégrer ses pénates, il oublia de les en sortir pour les ranger dans son tiroir. Eh bien, quelque part au fin fond du Michigan, une petite fille se mouche aujourd'hui dans ses documents précieux. Cette fois-ci, mon collègue eut bien du mal à trouver un bouc émissaire, mais il ne désarma pas. Il téléphona au responsable de l'entretien et l'insulta copieusement, lui expliquant qu'il fallait vraiment être demeuré pour recycler des documents jetés dans un conteneur prévu à cet effet.

Cette histoire me rappelle un bon gag à faire aux nouvelles recrues. Dites-leur que les conteneurs marqués « Recyclage » sont réservés aux documents importants qu'on utilise à longueur de journée (d'où le nom de « Recyclage »). Trouvez des complices d'accord pour effectivement ranger leurs documents importants dans leurs conteneurs pendant la journée, histoire de rendre le gag plus crédible aux yeux du bleu. Si la nouvelle recrue émet des doutes sur le terme « Recyclage », dites-lui que cela fait partie de la nouvelle terminologie des cercles de Qualité. Proposez-lui de l'inscrire au prochain stage pour en savoir plus. La peur d'avoir à subir une nouvelle formation la ramènera vite à la raison. Lorsque votre victime s'apercevra que ses documents importants ont disparu, suggérez-lui de voir ça avec le responsable de l'entretien.

▶ DEMANDER L'AIDE D'UN MÉDIATEUR

Pour ceux d'entre vous qui ne travaillent pas dans une grande entreprise, laissez-moi vous expliquer ce qu'est un médiateur. Comme son nom l'indique, un médiateur est ce que l'on obtient en compressant des mots empruntés à des domaines aussi divers que, dans ce cas précis, « méditation », « attrape-nigaud » et un truc genre « radiateur ». Le travail d'un médiateur consiste à écouter les plaintes des salariés concernant tout problème d'ordre éthique, puis de proposer des solutions susceptibles de les faire passer d'un sentiment d'inconfort à un sentiment de désespoir aigu.

Exemple :

Le salarié : Mon chef est un sadique atteint de démence, un adulateur de Satan. Il abuse du pouvoir que lui confère son poste à responsabilités pour se constituer une armée d'esclaves diaboliques.

Le médiateur : Avez-vous essayé de parler avec lui, de lui faire part de ce que vous ressentiez ?

Le salarié : Oui, une fois, mais il m'a aspergé de sang de bouc, m'a drogué, puis m'a ligoté à son bahut pour une sorte de rituel dont j'ai oublié les détails.

Le médiateur : Je lui enverrai un courrier pour l'informer de notre règlement concernant ce type d'agissement.

Le salarié : Oui mais là, il saura que je suis venu me plaindre et il me mettra à mort.

Le médiateur : Dans ce cas, si tel est votre souhait, je ne ferai rien du tout.

Le salarié :   Vous m'avez dit la même chose la dernière fois que je suis venu vous trouver.
Vous ne faites donc jamais rien ?

Le médiateur :   J'ai essayé, un jour. Mais cela n'a rien
donné.

Voilà à quoi ressemble un entretien avec le médiateur de
base. Mais vous pouvez vous amuser au détriment du vôtre
en vous inventant des cas de conscience imaginaires. Voici
quelques bonnes questions à lui poser.

QUESTIONS À POSER À UN MÉDIATEUR

➤ Tous, absolument tous mes collègues me déshabillent
du regard. J'ai franchement l'impression d'être une…
nom de… non mais ça va pas, vous, de me regarder
avec des yeux pareils ? ? ! !

➤ L'un de nos distributeurs m'a offert un véhicule tout
terrain. Mais je l'avais demandé dans une autre
couleur. Cela pose un problème si je kidnappe son
chien ?

➤ Quand je téléphone au bureau pour signaler qu'une
bombe a été posée, est-ce gênant si je me sers de ma
carte téléphonique professionnelle ?

➤ J'ai découvert que mon chef détourne les fonds de
l'entreprise. Dois-je mettre fin à notre relation ?

➤ En déplacement, mon budget repas est de 180 F par
jour. Est-il possible d'en imputer une partie sur mon
budget stupéfiants, si je les prends par voie orale ?

▶ CONCEVONS DES IDÉES NULLES DANS LA JOIE

Il est plus facile de réfléchir que de travailler. Et la meilleure réflexion est encore celle qui n'implique pas d'écrire. Je veux parler de la « réflexion en réunion ». En réunion, quand on conçoit une idée, la seule chose à faire, c'est de la laisser échapper. Il n'y a aucune partie du corps à solliciter, si ce n'est votre bouche et votre embryon de cerveau.

La qualité intrinsèque de vos idées importe peu. On peut très bien débiter des idées consternantes à longueur de journée sans éveiller le moindre soupçon, puisque de toute façon personne n'est capable de faire la différence entre une bonne et une mauvaise idée. Imaginons, par exemple, qu'à chaque nouvelle toile, Picasso ait dû s'expliquer devant je ne sais quel comité artistique avant de se mettre au travail.

Picasso :	J'envisage de partir dans une toute autre direction.
Le comité :	Formidable ! C'est la marque d'un sens artistique développé. Dites-nous en plus.
Picasso :	De temps en temps, quand je fais un portrait, j'aimerais placer les deux yeux du même côté de la tête.

Le comité :	Aïe !
Picasso :	En revanche, j'ai envie de faire des dessins qui ressemblent à des gribouillis. C'est difficile à expliquer, mais ça sera splendide, croyez-moi !
Le comité :	Pourquoi ne dessineriez-vous pas des dinosaures, plutôt ? Ça plaît beaucoup, les dinosaures.
Picasso :	Non, faites-moi confiance, je tiens un truc, là.
Le comité :	Des fruits, alors ? **ÇA**, c'est de l'art. Ou alors des dinosaures mangeant des fruits ! Non, je sais ! Un dinosaure qui glisse sur une peau de banane et qui dit : « Bon, assez rigolé, Monsieur Picasso ! »

Sur quoi, les membres du comité font « Tope là ! » en se congratulant mutuellement à la façon des équipes de football américain, et se prononcent en faveur de la toile représentant un dinosaure. Picasso dégaine son couteau suisse et tente de se trancher l'oreille, mais on lui rappelle que c'est la spécialité de Van Gogh et il se ravise.

Les idées les plus divertissantes sont celles qui génèrent une charge de travail inutile pour les collègues. Dans la mesure du possible, limitez-vous à des idées qui semblent tenir la route, mais qui, de toute évidence, sont des fiascos en puissance.

IDÉES À PREMIÈRE VUE SENSÉES

▶ Faire participer le service juridique à votre prochain brainstorming.

▶ Demander au service marketing qu'il vous dégage une partie de son budget.

▶ Envahir la Russie en plein hiver.

Si l'on peut déceler dans vos idées une trace de logique, même infime, il paraîtra difficile d'aller trouver le chef pour les censurer. Vous aurez la satisfaction immédiate de voir vos collègues se tortiller sur place, puis celle – à plus long terme – de les voir mouliner dans les airs, impuissants, en fonçant droit dans le mur.

▶ S'ATTRIBUER DES DONS DE MÉDIUM

Profitez d'un nouveau poste, même s'il s'agit d'une mutation interne, pour vous réinventer. Pour autant que vos nouveaux collègues le sachent, vous n'êtes ni fainéant, ni dénué de scrupules, ni intéressé. Avec un peu de chance, il leur faudra plusieurs jours pour s'en rendre compte. En attendant, rien ne vous empêche de vous attribuer des talents remarquables. Vu l'entourage, la chose est impossible à vérifier. Je recommanderais de simuler des dons de médium.

Jouer les voyantes, c'est facile. Commencez avec des trucs simples. Quand vous croisez une nouvelle recrue dans les couloirs, jetez un œil à son badge d'identification et sortez-lui : « Vous avez une tête à vous appeler Daniel. Je me trompe ? » 80 % des gens à qui vous ferez le coup réaliseront que vous avez lu leur badge et vous riront au nez, persuadés que vous êtes quelqu'un d'éminemment intelligent, doté en plus d'un grand sens de l'humour. Les 20 % restant seront prêts à se tondre le crâne et à vous faire don de tous leurs biens terrestres. Souvenez-vous que nous parlons ici d'une couche de la population dont environ un tiers construit sa vie sur l'astrologie. Inutile de faire assaut de talents surnaturels : vous n'aurez guère d'efforts à fournir pour lancer votre propre secte.

Voici un autre truc de divination que j'ai appris. Je suis sûr de pouvoir deviner sur quelle face une pièce de monnaie va tomber, du moment que c'est moi qui la lance en l'air. J'enregistre un taux de réussite de 100 %. J'ai appris ce truc parce qu'à moins de tricher je suis sûr de perdre. Comme je ne trouve des gens suffisamment débiles pour me laisser lancer la pièce moi-même que dans 50 % des cas, statistiquement, on retombe sur nos pattes.

Voici comment truquer un pile ou face. Servez-vous d'une pièce de 25 cents américaine neuve, et de rien d'autre. Un *quarter* * neuf se distingue nettement au toucher par une face douce, la face George-Washington, et une face plus rugueuse, celle où figure l'aigle. Essayez, vous verrez. Donc, mettez un *quarter* neuf dans une de vos paumes, et parcourez-en la surface du doigt de la main en question situé juste à côté du petit doigt. Avec un tout petit peu d'exercice, neuf fois sur dix et sans avoir à regarder, vous arriverez à distinguer la face douce de la face rugueuse. Et maintenant, la seule chose à faire, c'est de faire distraction une fraction de seconde au moment où vous lancerez la pièce en l'air. Juste le temps de tâter du bout du doigt la pièce qui se trouve dans votre paume avant de l'abattre.

Jetez la pièce bien haut, puis tendez le bras et attrapez-la en vol à peu près à hauteur des yeux. Ramenez l'autre bras à la même hauteur de manière à pouvoir faire claquer la pièce dessus. Regardez votre victime droit dans les yeux et dites : « La pièce est tombée sur... » Ce léger gain de temps vous permet de palper du doigt la surface du *quarter*. Faites claquer la pièce sur votre poignet en la maintenant cachée. Au moment où vous soulèverez votre main, la face opposée à celle que vous aviez palpée apparaîtra.

(NB : Si l'une ou l'autre de mes « ex » lit ceci, je suggère que, maintenant que de l'eau a coulé sous les ponts, on en rie plutôt qu'on en pleure.)

J'ai également développé une technique pour lire dans les pensées. C'est un moyen de tester la culpabilité des gens pour déterminer s'ils disent la vérité ou s'ils mentent. Je dirais que le taux de réussite est d'environ 90 %. La seule chose à faire, c'est de leur poser la question la plus directe possible, puis de voir quelle sera l'approche que cette per-

---

* NdT : Aux États-Unis, on appelle la pièce de 25 cents « *quarter* » car, comme son nom l'indique, sa valeur faciale est d'un quart de dollar. D'une taille semblable à la pièce de 1 F français, elle est notamment utilisée pour les téléphones publics, les laveries automatiques, les péages et les distributeurs de sodas. Il est donc tout naturel que l'auteur en suggère l'emploi pour son petit tour de passe-passe.

sonne choisira pour réagir. Imaginons par exemple que la question posée soit : « Est-il vrai que vous avez tué votre voisin ? »

Les innocents répondent à ce type de question en disant « Bien sûr que non ! », ou alors « Non mais vous êtes complètement & %#$@ !!$! ou quoi ? », ou encore « Je n'arrive même pas à croire que vous puissiez envisager une chose pareille. »

Les gens qui éprouvent un sentiment de culpabilité, eux, vous sortent : « Qui donc a bien pu vous mettre une idée pareille en tête ? », ou « Rien de sérieux ne permet de l'affirmer ! », ou « Pourquoi me posez-vous cette question ? », ou encore « Pourquoi ? Quelqu'un m'accuse ? »

La principale différence, c'est qu'un individu qui se sent coupable ne nie pas les faits, il attaque sur les preuves. Un innocent nie les faits et déverse sa colère sur la personne qui a posé la question. En cas de réactions mitigées, donnez la priorité à ce que la personne a dit en premier. L'efficacité de cette technique va vous laisser pantois.

En guise d'entraînement, amusez-vous devant votre télé. Choisissez n'importe quelle émission d'actualité dans laquelle on questionne quelqu'un sur sa culpabilité éventuelle. Quand Patrick Poivre d'Arvor colle son micro sous le nez d'un de ces enfoirés qui abusent de la confiance des vieilles dames, soyez attentif à la terminologie qu'utilise l'enfoiré en question :

PPDA :   Est-il exact que vous avez abusé de la confiance de personnes âgées ?

L'enfoiré :   Aucun indice sérieux ne permet de l'affirmer !

Une fois que vous vous êtes bien entraîné devant votre poste de télévision et que vous pensez avoir pigé le truc, tendez une embuscade à votre chef :

Vous :	Est-il vrai que le projet sur lequel je travaille est condamné d'avance pour cause de coupes budgétaires imminentes ?
Votre chef :	Sur quoi vous fondez-vous pour penser une chose pareille ?

Une fois que vos pouvoirs divinatoires seront bien établis, accroissez votre renommée de médium en faisant des prédictions tellement visionnaires qu'elles donnent la chair de poule. Vous n'avez pas idée à quel point c'est facile. Voici quelques prophéties qui se vérifient dans 90 % des cas et dans n'importe quel contexte professionnel :

PROPHÉTIES DE BUREAU IMPARABLES

▶ Une réorganisation du service sera mise en œuvre dans les six mois à venir, sans qu'aucune urgence ne le justifie.

▶ Une promotion sera très bientôt accordée au rat le plus odieux du service.

▶ Le projet sera retardé pour cause de gigantesques obstacles imprévus.

▶ Des trucs scabreux en tout genre circuleront sur le réseau informatique.

▶ Le nouveau salarié dans lequel on plaçait tant d'espoirs se révélera d'une incompétence notoire.

▶ Le coût définitif du projet sera largement supérieur à toutes nos projections.

N'hésitez pas à exploiter les stéréotypes pour simuler vos dons de voyance. Le truc consiste à éviter les prédictions trop évidentes au profit de celles qui le sont un petit peu moins.

Imaginons par exemple que vous croisiez un collègue qui porte des santiags avec son costume-cravate. Le truc évident à dire serait : « Robert, je parie que tu aimes le rock. » Mais ce n'est pas avec des prophéties pareilles que vous risquez d'asseoir votre réputation de médium. Dites plutôt : « Robert, quelque chose me dit que tu aimes les chiens. »

La prédiction des chiens se révélera exacte, car tout individu qui porte des santiags aime également les chiens. Un homme qui porte des santiags a tendance à penser que les chats sont des animaux de compagnie pour fillettes.

Maintenant imaginons que vous croisiez un collègue doté d'un gigantesque postérieur. Vous pourriez choisir la solution de facilité et dire : « Je parie que tu aimes manger des glaces. » Mais voilà qui ne serait guère visionnaire. Et cela pourrait être interprété comme une insulte, et donc contrecarrer vos tentatives pour faire du zèle. Une stratégie plus pertinente consisterait à dire : « Raoul, c'est juste une supposition, mais je parie que tu adores louer des vidéos et te les projeter à la maison. »

Cela se révélera parfaitement exact, car toute personne dotée d'un postérieur gigantesque adore louer des vidéos pour se les regarder à la maison. En allant chercher un tout petit peu plus loin que le stéréotype le plus immédiat, vous restez cordial, tout en faisant preuve d'une pertinence certaine.

▶ JOUER LA PRIMA DONNA DE LA TECHNOLOGIE

Jamais l'Histoire n'aura connu d'époque plus propice à jouer la Prima donna de la Technologie. S'il n'est pas facile de recruter de bons éléments, il est encore moins facile de recruter de bons éléments qui comprennent quelque chose à la technologie. Si vous avez les moindres compétences en ce domaine – où si vous pouvez les simuler –, ne perdez pas une miette du bonheur et du pouvoir intense que confère un tel statut.

Si j'étais un psychologue renommé – donc libre d'inventer de toute pièce des trucs tout en restant crédible –, je proposerais deux explications possibles au fait qu'on tolère le comportement des Prima donna de la Technologie dans l'entreprise. La plus évidente est que les gens sont persuadés qu'une Prima donna de la Technologie est capable de tuer de sang-froid pour s'amuser, et donc qu'il est préférable d'accéder au moindre de ses caprices. Mais il existe une seconde théorie non moins plausible, à savoir la suivante : la plupart des gens sont suffisamment naïfs pour croire qu'« on en a toujours pour son argent. »

Les Prima donna de la Technologie vous font « payer » le prix fort – psychologiquement parlant – le privilège de fréquenter leur personne. De fait, vous en concluez qu'il doit y avoir une valeur ajoutée pour justifier ce prix élevé (je ferais un excellent psychologue au rabais). Si la Prima donna de votre service n'est pas remerciée dès les premiers jours, vous commencez à vous dire qu'elle a sûrement des talents cachés justifiant ce type d'abus. Moins d'un mois se passe avant que vous n'alliez colporter que ce sociopathe est un véritable génie. La réputation de la Prima donna s'installe et grandit. Il devient bientôt impossible de la licencier, car tout le monde est persuadé que, sans elle, l'entreprise n'aurait plus qu'à mettre la clé sous la porte.

Avec un peu de bon sens, on pourrait se dire que des individus au comportement pareil finissent par se faire dessouder par de méchants mafiosi, qui profitent pour leur

régler leur compte d'un moment où la police ferme les yeux. Mais cela ne se passe pas comme ça dans la réalité. Les Prima donna de la Technologie sont traitées comme des stars : on leur donne plus d'argent et des cellules de travail plus spacieuses. Parfois même un vrai bureau. Lorsqu'on n'est qu'un simple travailleur, cela ne laisse qu'une alternative : subir l'indignité de devoir faire commerce avec ce genre de personnage ou alors devenir soi-même une Prima donna de la Technologie. Je recommanderais cette deuxième solution. La seule chose que vous ayez à perdre, ce sont des amis, or, les amis, ce n'est pas ce qui manque sur Internet*.

À raison d'une – voire même de deux – Prima donna par service, la plupart s'en sortent. Efforcez-vous de faire partie du lot. Suivez ces grandes lignes directrices, et vous n'aurez aucun mal à faire avaler à votre chef que vous en êtes :

SE FORGER UNE PERSONNALITÉ DÉTESTABLE

Personne ne vous prendra au sérieux dans votre rôle de Prima donna de la Technologie tant que vous ne vous serez pas forgé une personnalité détestable. Soyez tellement détes-

---

* Internet est l'endroit idéal pour se faire des amis, car, sur le web, on peut se faire passer pour quelqu'un qu'on n'est pas. Vos nouveaux amis électroniques faisant de même, vous créez un réseau de faux individus virtuels se liant d'amitié en circuit fermé. Mais, bon, ce n'est déjà pas si mal ; au moins, personne ne vous demandera de lui prêter vos affaires.

table que votre propre chien se bouchera les oreilles au moyen de liasses de billets facilement gagnés sitôt que vous l'approcherez. Faites savoir à tout individu susceptible d'abuser de votre bonté qu'il y a un prix à payer pour être toléré en votre présence, et que ce prix consiste à endurer votre personnalité.

Règle d'or de la Prima donna de la Technologie

Tout individu qui pose une question
est un demeuré.
Tout individu qui n'en pose pas l'est également.

Au titre de Prima donna de la Technologie, vous êtes habilité à traiter avec condescendance les masses ignorantes qui n'ont pas la chance, comme vous, de briller par leur excellence. Mais il ne suffit pas de nourrir du mépris pour les autres. Encore faut-il afficher ouvertement ce mépris par des mots et par des actes :

L'utilisateur :	J'ai un problème technique.
La Prima donna :	J'avais remarqué.
L'utilisateur :	Je ne sais pas pourquoi, mais je n'arrive pas à imprimer.
La Prima donna :	Je crois que, moi, je la connais, la raison. Mais il faudrait que je vous fasse une radio du crâne pour vérifier.

L'utilisateur :   Ça doit être un conflit entre deux logiciels.

La Prima donna :   Pffft ! *(en postillonnant)*

NE JAMAIS RÉPONDRE AUX QUESTIONS

Le seul inconvénient, quand on est une Prima donna de la Technologie, c'est que les collègues n'ont de cesse de poser des questions. Si vous leur donnez des réponses simples et utiles, vous ne faites que les encourager à en poser d'autres. Et si vous reconnaissez être collé, votre masque de Prima donna pourrait bien tomber. La meilleure stratégie consiste à vous soustraire à toute question. Deux bonnes techniques permettent de le faire. La première consiste tout simplement à ignorer la personne qui la pose, comme si cette personne n'existait pas. En général, les gens répètent la question plusieurs fois en haussant un peu la voix à chaque tentative, jusqu'à ce qu'ils se lassent et renoncent. Alors que, furieux, l'individu mis en déroute tourne les talons pour s'en aller, lâchez-lui : « Ça dépend. » Vous donnerez l'impression qu'en réalité vous ne l'ignoriez pas du tout, mais qu'en fait vous réfléchissiez très fort à sa question. À ce stade, la plupart des gens laisseront tomber, réalisant qu'une conversation avec vous prendrait des mois. Il n'y a pas plus d'efforts à fournir pour être inattaquable le jour où l'on viendra vous accuser de non-assistance.

La seconde technique pour éviter d'avoir à donner des réponses est de suggérer aux gens de reconfigurer leur système. Quelle que soit la nature du problème. On obtient rarement des résultats, mais c'est un gain de temps qui permet de prendre la tangente. Jetez un coup d'œil sur votre messager de poche et marmonnez entre vos dents « Houlà! », puis rejoignez d'un pas vif votre planque la plus proche. L'utilisateur aura vraisemblablement réglé son problème avant que vous puissiez à nouveau être localisé.

S'HABILLER COMME UN SANS-ABRI AVEUGLE

Le soin que vous mettrez à être repoussant est l'indicateur le plus fiable de votre statut de dieu vivant de la technique. La garde-robe d'une Prima donna de la Technologie doit donner l'impression d'avoir été constituée à partir des hardes d'un clochard aveugle qui, bien que visuellement mis au défi, se serait fièrement débattu en se faisant dépouiller.

Dites oui aux pilosités faciales, mais préférez le style pelade. Si votre barbe est épaisse et drue, veillez à en arracher quelques touffes çà et là pour obtenir l'apparence requise. Si vous appartenez au sexe féminin, il vous faudra récolter du poil ailleurs (ne m'obligez pas à dire où) et vous le coller sur le menton.

Les cheveux du sommet de votre crâne, si toutefois il vous en reste, devront être la réplique exacte de votre menton. Assortissez les sourcils à la moustache, et il y a de fortes chances pour que vous ayez exactement la même tête à l'endroit et à l'envers. Cela peut se révéler très pratique. Si, par exemple, vous faites tomber un stylo par terre et qu'au moment où vous vous penchez pour le ramasser quelqu'un surgit derrière vous, vous pouvez lui faire peur en lui faisant des grimaces entre vos genoux.

HURLER SANS RAISON PARTICULIÈRE

Quand on est une Prima donna de la Technologie, pas besoin d'avoir une raison particulière pour hurler. Ni de savoir après qui on hurle. Vos accès de colère à la moindre imperfection sont le signe indubitable de votre très grande exigence (même si cette exigence est à deux vitesses). Il existe deux façons distinctes de hurler, chacune avec son charme spécifique. Le premier type de hurlement est le hurlement, sans destinataire immédiat, dit du « Sans-abri frappadingue ». Il doit être suffisamment sonore pour que tout le service en profite, et suffisamment obscène pour attester de votre passion du travail bien fait. Émettez-en un de loin en loin, que vous soyez en colère ou pas.

Le second type de hurlement est le hurlement dit « Toi, j'vais t'en coller deux », particulièrement efficace en réunion. Un salarié ordinaire se ferait sans doute licencier pour agression verbale sur collègue, ou agression verbale sur distributeur. Mais vous n'êtes pas un salarié ordinaire. Votre statut de Prima donna de la Technologie vous autorise à bondir de votre fauteuil, à grimacer horriblement de fureur, et à insulter copieusement quiconque vous aura déçu. Les victimes les plus faciles sont les distributeurs, car un distributeur ne contre-attaque jamais. Mais, pour peu que vous preniez soin de glisser dans votre diatribe un truc genre « dans l'intérêt des actionnaires », vous pourrez attaquer des collègues également. C'est la référence aux actionnaires qui fait toute la différence entre une Prima donna de la Technologie et un tueur en série présumé moyen.

SE DRAPER DE MYSTÈRE ET JOUER LES ORIGINAUX

Laissez traîner derrière vous des indices équivoques laissant augurer d'une vie trépidante et pleine de dangers. Posez des clés de moto bien en évidence sur votre bureau, à un endroit où vous êtes sûr que les gens les verront, même si vous ne faites pas de moto. Habillez-vous de cuir des pieds à la tête au moins une fois par mois. Si un autre passionné de deux-roues vous demande sur quel genre de machine vous roulez, retournez-lui la question. Lorsqu'il vous répondra, grommelez simplement : « Brêle ! ». Puis tournez les talons.

Accrochez ostensiblement un holster vide au dossier du fauteuil qui fait face à votre bureau. Si on vous demande où est passée l'arme, dites : « Ça dépend. Vous roulez pour qui ? » Il n'en faudra pas plus pour asseoir votre réputation de joueur mystérieux et redoutable.

Toute Prima donna de la Technologie qui se respecte a un passe-temps original, style lutte gréco-romaine contre des autruches, sculpture sur crottin ou tournoi de bridge. Inventez-vous un hobby singulier, et quittez le bureau plus tôt une fois par semaine pour le pratiquer. Un hobby curieux est la marque d'un esprit brillant ; votre mystique s'en trouvera renforcée.

NE JAMAIS RAPPELER QUAND ON VOUS LAISSE UN MESSAGE

Une Prima donna de la Technologie est beaucoup trop occupée pour rappeler quand on lui laisse un message. Si vous commettez l'erreur de le faire, vous passerez pour quelqu'un d'accessible et de peu débordé. C'est le message inverse qu'il faut faire passer. Sinon, les gens prennent l'habitude de vous appeler et tentent dc vous faire travailler. Vous n'avez aucune chance de gagner si vous prenez les appels. Si vous êtes acculé, rappelez la personne à un moment où vous savez pertinemment qu'elle sera absente, et laissez un message sans préciser à quel numéro vous êtes joignable, en espérant que cette personne l'aura déjà perdu.

Une bonne technique permettant d'échapper aux conversations téléphoniques consiste à laisser sur votre boîte vocale un message d'accueil expliquant aux appelants que vous n'êtes joignable que sur votre messager de poche. On est plus crédible quand on prétend ne pas avoir reçu un bip sur son *pager* qu'un message sur sa boîte vocale. Ce petit « plus » vous permettra de nier catégoriquement le jour où vous vous ferez serrer à la cafétéria par la victime de votre silence.

MARMONNER DES TRUCS ININTELLIGIBLES EN RÉUNION

Bien qu'aux oreilles de vos collègues elles soient rigoureusement identiques, on distingue deux types de communications : (1) débiter des inepties et (2) dire des trucs remarquablement intelligents. Nul ne vous soupçonnera de débiter des inepties si vous veillez à prendre les gens de haut quand vous leur adressez la parole. Vos collègues resteront sagement assis à vous écouter, et, ne comprenant pas un mot à ce que vous dites, seront gagnés par le sentiment d'être de plus en plus demeurés. Pour accroître cet effet, marmonnez de façon inintelligible. Au sentiment de crétinisme viendra s'ajouter l'impression de devenir sourd. Si quelqu'un vous demande de parler un peu plus fort, mettez-vous à hurler. Évitez tout volume sonore situé entre ces deux extrêmes.

DESSINER DES ORGANIGRAMMES RIDICULEMENT COMPLIQUÉS SUR DES TABLEAUX BLANCS

L'organigramme est le pendant visuel du marmonnement. Si on vous force à écrire, veillez à le faire sur un tableau blanc. Il est alors plus difficile d'en faire une sauvegarde ou une copie. Et faites en sorte de le compliquer jusqu'à l'absurde. Vos diagrammes doivent être hérissés de lignes, d'encadrés et de sigles, des marquages du type de ceux qu'on pourrait trouver sur la carlingue d'un vaisseau spatial de haute technologie. Ne vous limitez pas aux alphabets humains. Inventez de nouveaux idéogrammes et incorporez-les au mélange. Si quelqu'un pose des questions, expliquez que certaines idées ne se laissent pas enfermer dans l'alphabet. La nuit tombée, glissez-vous subrepticement dans la salle où se trouve le tableau et effacez tout. Le gardien se prendra un savon.

SE PLAINDRE EN PERMANENCE

Si vous n'êtes pas à tout moment en train de vous plaindre de quelque chose, vous n'êtes pas une authentique Prima donna de la Technologie. Cela demande un peu d'entraînement, mais apprenez à détester tout ce qui constitue votre environnement immédiat. Et ajoutez-y tous les trucs dont on entend parler dans les journaux. Si un collègue attire votre attention sur une technologie nouvelle, lancez-vous dans une interminable harangue fustigeant ses défauts inhérents et sa non-compatibilité descendante. Ironie du sort, c'est le signe d'une Prima donna de la Technologie authentique que de préférer jusqu'à l'obsession les technologies obsolètes. Toute allusion à un possible remplacement de vos systèmes actuels par des systèmes plus récents devrait recevoir un accueil à peu près aussi chaleureux que celui qu'on réserve d'habitude aux criminels de guerre ou aux députés.

SE RENDRE À DES ENTRETIENS D'EMBAUCHE JUSTE POUR RIGOLER

Dans de nombreux secteurs, notamment dans les domaines liés à la technologie, le volume des offres d'emploi dépasse largement la réserve de candidats suffisamment qualifiés pour pourvoir. Si, du fait de compétences hautement recherchées, votre profil correspond aux critères d'embauche, soumettez-vous à des entretiens juste pour le plaisir. C'est le moment où jamais de jouer les starlettes. Peu de choses au monde sont aussi jubilatoires que de se caler dans un fauteuil moelleux et, paré de ses plus beaux atours, de grignoter des Pépito en écoutant un inconnu faire l'éloge de votre valeur et de votre talent.

Une fois bien rassasié de pâtisseries et de boissons, commencez à assaillir l'employeur potentiel d'exigences impossibles. Demandez si l'entreprise peut vous assurer une garde rapprochée 24 heures sur 24. Refusez d'expliquer ce qui motive une telle demande. Demandez une voiture de fonction. Si vous l'obtenez, demandez à la personne qui conduit l'entretien si elle accepterait de conduire votre voiture. Exigez des rémunérations considérables en vous référant aux échelles d'autres secteurs.

« Depardieu touche cent vingt millions de francs par film. C'est la fourchette à laquelle je pensais. »

Réalisant que la situation est désespérée, l'employeur potentiel finira par mettre un terme à l'entretien, non sans vous avoir remis un gadget promotionnel, du genre sympathique couteau de poche portant le logo de l'entreprise ou – si vous avez de la chance – une jolie horloge de bureau. Cela fait d'excellents cadeaux pour les collègues. Demandez qu'on vous les emballe.

► CONCEVONS DE JOLIS DOCUMENTS DANS LA JOIE

Difficile de tirer une quelconque satisfaction de ses résultats quand on exerce dans une cellule de travail. Le plus souvent, votre travail est tant et si bien combiné au travail des autres qu'il finit édulcoré, quand ce n'est pas oblitéré. Et comme votre apport sur le plan professionnel est rarement tangible, les occasions de faire deux ou trois pas en arrière pour admirer la beauté de vos créations sont rares. D'où la jubilation de concevoir de jolis documents.

Concevoir un document ou préparer une présentation, si cela entre dans vos attributions, peut se révéler une formidable source de satisfaction professionnelle. Au début de votre carrière, il vous a peut-être semblé qu'un document était juste un moyen pour accéder à une fin. Mais, un jour, on réalise que la « fin », ce sont les actionnaires qui en profitent, pas vous. Il faut donc trouver son bonheur dans le « moyen », puisque c'est la seule phase du processus dont on fait concrètement l'expérience. Solution : concevoir de jolis documents.

On peut consacrer une journée entière à élaborer des transparents Powerpoint pour une présentation dont strictement personne ne se soucie, et toutefois en retirer une satisfaction personnelle intense. Je me souviens que j'éprouvais un plaisir certain à imprimer mes transparents Powerpoint, à les regarder fixement, et à me délecter de la beauté de leur mise en page et de la lisibilité du texte. Personne d'autre que moi ne retirait un quelconque plaisir de mes transparents Powerpoint. Souvent, pour cause de réunion annulée, ils n'étaient même pas exploités. Mais faire circuler l'information n'était pas le problème. C'est de beauté pure qu'il était question. Les transparents Powerpoint, c'est un peu comme les enfants : du moment que ce sont les vôtres, ils ont beau être moches comme des poux, vous les trouvez toujours magnifiques.

Le plus gratifiant dans la création de jolis documents, c'est que non seulement ça *ressemble* à du travail, mais que *c'est* du travail! Concevoir de jolis documents est exactement aussi jubilatoire (et exactement aussi improductif) que de tirer au flanc, la prise de risque en moins. Si votre chef vous voit passer une matinée entière à découper des petits animaux et des petits nuages et à les coller sur vos transparents Powerpoint, certes parfaitement inutiles mais ô combien superbes, il y a même des chances pour qu'on vous décerne une médaille en chocolat.

▶ MANIONS LE SARCASME DANS LA JOIE

Manier le sarcasme peut vous coûter votre place car votre chef peut vous accuser d'insubordination. Ce risque est toutefois mesuré. Soyez sans crainte, nul ne détectera l'ombre d'un sarcasme si vous suivez la règle élémentaire qui consiste à employer la propre terminologie du chef. Cette forme de sarcasme est, de fait, la plus évidente à maîtriser, dans la mesure où elle ne requiert pas une once de créativité. Mieux : ce que vous dites n'a même pas besoin d'avoir du sens.

La différence entre manier le sarcasme et fayoter est très subtile. Dans un cas comme dans l'autre, vous vous dites intérieurement : « Je suis un rat et un menteur. » Seule l'expression de votre visage diffère. Les fayots ont tendance à ressembler à ces membres de sectes religieuses dont les grands yeux hallucinés disent : « Merci de m'avoir dépouillé de tous mes biens. » L'individu qui manie le sarcasme doit avoir l'air fervent, mais pas au point de donner l'impression d'être sous l'emprise d'un lavage de cerveau. Cet effet peut être obtenu au moyen d'une variation du « visage impassible » que j'appellerai le « sourire plissé ».

Deux parties du visage permettent essentiellement de contrôler cet air fervent : les lèvres, et le petit espace froncé situé entre vos sourcils. (NB : Si vous faites partie de ces gens dont les sourcils se rejoignent au milieu, passez-vous un coup de rasoir entre les deux yeux de façon à faire apparaître ce petit bout de front plissé.)

Ne riez jamais quand vous maniez le sarcasme. L'effet serait anéanti. Si vous êtes saisi d'une incontrôlable envie de pouffer de rire, attendez que votre chef sorte un truc hilarant, du genre : « On n'est que mercredi ? J'ai l'impression d'être déjà vendredi ! » Là, jetez-vous en arrière, ouvrez une bouche béante comme si vous vous apprêtiez à avaler un marsouin vivant, et riez comme une baleine à qui un cachalot viendrait de dire : « C'est assez ! » Une telle sincérité ne fera que renforcer la crédibilité de votre sarcasme.

Quand vous faites assaut de sarcasmes, n'oubliez pas de sourire, mais pas d'un sourire normal. Les lèvres doivent être légèrement décollées des gencives : mi-plissées, mi-grimaçantes. Le sourire plissé est une balise d'une puissance de mille watts signifiant pour tout le monde : « Je me trouve très drôle, là. » Hormis pour votre chef.

Le sarcasme manié de vive voix est celui qui fonctionne le mieux, mais on obtient de bons résultats par écrit également, comme en atteste clairement l'e-mail ci-dessous. Comme on passe du domaine de l'oral à celui de l'écrit, la technique de plissé est différente : notez comme la lettre « m » a été saisie avec un plissé léger, tandis que la lettre « J » est simplement ridée*.

De : [respect de l'anonymat]
À : scottadams@aol.com

Je me suis dit que vous trouveriez intéressant de pouvoir vérifier une fois encore la pertinence de votre vision de la vie de bureau, en apprenant que j'ai intégré le rapport d'activité hebdomadaire de Richard dans mes antécédents professionnels. Ayant lu ce strip de bande dessinée dans un quotidien et me disant qu'il s'intégrerait parfaitement à mon rapport annuel de performances, j'ai recopié texto la tirade de Richard, à savoir : « *Faisant grand cas de la diversité dans l'entreprise, j'ai affûté mes business-process tout en peaufinant mon style participatoire et mon attitude proactive.* », pour l'insérer à mon descriptif. Soit mon chef n'en a pas saisi toute l'ironie, soit il n'a rien lu du tout ; quoi qu'il en soit, cette tirade fait désormais partie intégrante de mon dossier d'antécédents professionnels.

* J'vous ai bien eu.

La frontière entre le sarcasme professionnel, tout empreint de subtilité, et son cousin germain, le délire absolu, est ténue. L'un et l'autre ont toutefois leur place et leur valeur dans le monde des affaires. Voici l'exemple de quelqu'un qui a franchi cette frontière et qui, néanmoins, a obtenu des résultats satisfaisants.

De : [respect de l'anonymat]
À : scottadams@aol.com

Reconnaissant qu'il y a effectivement des gens suffisamment crétins pour mordre aux histoires de Qualité et tout ce que cela entraîne, j'ai dû faire un briefing de Qualité il y a peu.

Je n'y connais strictement rien en Qualité et, à vrai dire, c'est le cadet de mes soucis. J'ai préparé mes transparents (des Powerpoint, bien sûr) et j'ai mis par écrit ce que je considère personnellement comme un torrent d'inepties. De fait, j'ai inséré des expressions toutes faites tirées de votre livre (*Le Principe de Dilbert*). Pour autant que je puisse en juger, les phrases une fois construites n'avaient strictement aucun sens. J'ai parlé trente minutes, et puis j'ai attendu.

J'ai été acclamé comme celui qui avait fait le meilleur exposé ce jour-là.

Une autre technique permettant d'éviter de s'exposer à des sanctions pour insubordination est de reformuler l'avis consternant de votre chef en des termes qui rendent éclatante son absence totale de valeur. Continuez ensuite à prêter votre appui à cet avis consternant comme s'il vous semblait parfaitement sensé, ainsi que dans l'exemple ci-dessous.

Il n'est dit nulle part que l'assaut de sarcasmes devrait être exclusivement réservé à votre chef. Vos collègues constituent des cibles acceptables. La seule différence, c'est que vos collègues, eux, réaliseront que vous vous payez leur tête et qu'ils chercheront tôt ou tard à se venger. Mais le jeu en vaut souvent la chandelle.

5

Canulars de bureau

J'ai travaillé un jour avec un type qui aurait souhaité que les mouches soient plus grosses que dans la réalité, parce que, le cas échéant, il aurait pu les entendre hurler quand il les aplatissait à coups de tapette. Personnellement, il me semble que faire des vœux pareils, c'est prendre des risques inconsidérés. Un vœu, ça a vite fait de se réaliser. Imaginez votre colère si, l'unique vœu auquel vous aviez droit, vous l'aviez utilisé pour accroître la taille des mouches. Une mouche géante, c'est certainement moins rigolo qu'on ne le pense. Pour en dégommer une, il faudrait s'armer d'une raquette de tennis. Quand on aurait tapé dans le mille, on retrouverait des morceaux de mouche et des tentacules dans tous les coins. Chaque fois qu'on en aplatirait une, on serait obligé de brûler tous ses vêtements et de changer de domicile.

Et que se passerait-il si l'on oubliait de spécifier le rapport d'agrandissement souhaité ? Ce genre d'omission pourrait vous causer de sérieux ennuis. Pour peu que les mouches soient trop grosses (disons, de la taille d'un berger allemand), vous pouvez être sûr qu'une loi serait votée pour les classer dans la catégorie des espèces protégées. Les bestioles seraient tellement grosses qu'elles pourraient tranquillement arracher le toit de votre demeure et démolir votre garde-manger pendant que, vous, vous seriez au travail. La vie est déjà suffisamment dure comme ça ; la dernière chose dont on ait besoin, c'est se faire attaquer par des mouches géantes en forme de chien. Surtout protégées par l'immunité légale.

Toutes choses considérées, on ne peut que se féliciter que la mouche soit un animal de petite taille. Et tant que cela durera, il faudra aller chercher ailleurs des hurlements d'effroi satisfaisants. Mon conseil : regardez du côté de vos collègues. Un collègue, c'est plus gros qu'une mouche, aussi horripilant qu'une mouche, et toujours prêt à émettre des glapissements lorsque la situation s'y prête. Et pour autant que je sache, aucune des suggestions ci-dessous ne tombe sous le coup de la loi. Étant précisé que je n'ai jamais ouvert un Code pénal de ma vie.

Le canular est une tradition ancrée depuis toujours dans la vie de bureau. On peut y avoir recours pour stimuler la créativité, faire baisser le stress ou optimiser la qualité du travail en équipe. On peut également y avoir recours pour humilier ses collègues, de telle sorte qu'ils en resteront traumatisés jusqu'à la fin de leur existence terrestre. C'est comme vous le sentez.

Vous trouverez ci-dessous une sélection des meilleurs canulars que m'ont rapportés les lecteurs de *Dilbert*. Montez-les à vos risques et périls. La plupart constituent un motif de licenciement, voire de bonne dérouillée.

Si j'en crois mes lecteurs, c'est le plus souvent depuis le confort douillet de son « coin bibliothèque » (si vous voyez ce que je veux dire) qu'on apprécie les livres de *Dilbert*. N'hésitez pas à marquer ce chapitre d'un signet ; vous pouvez ainsi vous en réserver la lecture pour plus tard, dans ce contexte particulier. Le chapitre « canulars » est tout à fait indiqué pour cet usage, chacune des notules constituant une petite histoire à part entière.

CANULAR DIT « DE L'AIR DE FAMILLE »

Subtilisez les photos de famille posées sur le bureau de votre collègue. Scannez-les et entrez-les dans votre disque dur. Au moyen du logiciel Photoshop, substituez votre propre visage à celui de chacun des membres de sa famille.

Trouvez une imprimante couleur, faites des sorties des images ainsi tripatouillées, replacez-les dans leur cadre respectif, et remettez les cadres à leur place. Il existe de nombreuses variantes de ce canular. Si la victime est un homme marié, par exemple, substituez votre propre portrait à celui de l'un de ses enfants.

CROTTES DE SOURIS

Lancez une rumeur selon laquelle une souris aurait été repérée au bureau. Procurez-vous un sachet de grains de chocolat, comme ceux qui décorent les desserts glacés. Répandez quelques grains sur le bureau de votre victime, et posez juste à côté une feuille de papier donnant l'impression d'avoir été rongée. Scotchez une souris en plastique sur le combiné du téléphone de votre victime, en veillant à la placer de telle sorte qu'elle soit peu visible. Sitôt que votre victime pénètre dans sa cellule de travail et remarque les petites crottes, sans lui laisser le temps de les examiner de plus près, composez son numéro de poste.

PC GONFLÉ

Persuadez un collègue que vous connaissez un truc pour accroître les performances de son PC. Expliquez-lui que le truc consiste à caler un petit livre sous le cul du PC, de façon à faciliter l'écoulement du courant électrique vers le clavier, situé en aval. Faites comme si la différence vous sautait aux yeux. Encouragez-le à partager ce secret avec d'autres.

MESSAGE CONFIDENTIEL

Rédigez un message confidentiel sur une feuille de papier vierge, et glissez-la dans le panier A4 du copieur de votre service, quelques feuilles en dessous de la première qui se présente. Le prochain individu qui viendra faire des copies retrouvera ce message imprimé sur son document.

Ce canular est d'une grande flexibilité. On peut, par exemple, écrire dans la marge un mot doux proposant au destinataire du document un rendez-vous galant pour plus tard. Soyez prodigue d'adjectifs.

Le message peut également avoir l'air d'une annotation gribouillée dans la marge par votre directeur régional adjoint, en des termes de ce genre : « *Je n'avais jamais réalisé à quel point vous êtes entouré de collègues incompétents. Merci d'avoir eu de le courage de citer des noms. Fritz.* »

Une variante de ce canular consiste à élaborer un faux organigramme et à le titrer « Projet d'Organisation ». Assurez-vous de réserver les postes les plus convoités aux demeurés les plus odieux. Posez l'organigramme à l'envers dans le panier du copieur, de façon à ce que quelqu'un le retrouve imprimé au verso de son document. Une seconde variante consiste à proposer non pas un nouvel organigramme, mais une nouvelle attribution des cellules de travail.

Q.I. D'ANNIVERSAIRE

La prochaine fois que vous aurez un anniversaire à fêter au bureau, trouvez une boîte à chaussures, nappez-la de glaçage et décorez-la de motifs. Plantez les bougies dedans. Entonnez « Joyeux anniversaire ». Applaudissez. Tendez un couteau émoussé à l'invité d'honneur et demandez-lui de couper le gâteau. Voyez combien de temps il va mettre pour réaliser qu'il est en train de s'échiner sur un morceau de carton. Prenez les paris et servez-vous d'un chronomètre pour départager les gagnants.

Il est recommandé de garder à portée de main le vrai gâteau d'anniversaire, dans la mesure où la personne humiliée est armée d'un couteau émoussé.

CANULAR DIT « DU FIL DU TÉLÉPHONE »

Ce classique du canular fait merveille depuis des années. Appelez votre victime en vous faisant passer pour un employé de France Télécom, et dites-lui que vous avez besoin de son aide. Expliquez-lui que le fil de sa ligne est trop long et qu'on se prend les pieds dedans au central. Demandez-lui de tirer le fil situé de son côté, afin de rattraper le ballant. S'il s'exécute, dites-lui qu'il ne se passe rien de votre côté, et encouragez-le à tirer plus fort. Certains iront jusqu'à arracher la prise murale.

CANULAR DIT « DE LA PURGE DES LIGNES TÉLÉPHONIQUES »

De : [respect de l'anonymat]
À : scottadams@aol.com

Le 1er avril dernier, inspiré par la lecture de la *Dilbert Newsletter*, j'ai convaincu nos services généraux de diffuser par e-mail à tous les salariés de l'entreprise la circulaire suivante.

« Une mise à jour du réseau informatique de l'entreprise sera effectuée ce week-end. La première phase de cette mise à jour consistera en un nettoyage de routine des lignes téléphoniques, lequel sera mis en œuvre cette nuit. Peu après minuit, afin d'optimiser la qualité de la réception, l'opérateur téléphonique chassera l'électricité statique accumulée dans les câbles. Afin d'assurer une pression constante, nous vous demandons de recouvrir d'une housse antistatique votre combiné ainsi que, le cas échéant, votre combiné mains libres. Vous voudrez bien retirer les housses antistatiques auprès de (nom de la personne) au bureau d'assistance spécial mis en place à cet effet aux services généraux. La durée de la procédure étant fixée à environ une heure, vous pourrez retirer les housses antistatiques dès le matin. »

Une dizaine d'individus se sont empressés d'aller retirer leur housse antistatique et ont consciencieusement emballé leurs combinés. La nuit venue, nous les avons remplies de poussière, de bourre de papier et de boîtes de soda pour montrer aux victimes ce qui avait été « expulsé » des lignes.

CANULAR DIT « DE LA TONALITÉ »

Encore un classique. Appelez votre victime et faites-vous passer pour un employé de France Télécom chargé de réaliser des tests. Expliquez-lui que des abonnés situés dans votre zone se sont plaints de parasites sur la ligne. Demandez à l'utilisateur de vous siffler *La Marseillaise* afin que vous puissiez vous livrer à des tests sur le son, de votre côté de la ligne. Dites à la victime de continuer ainsi jusqu'à ce que vous lui donniez le feu vert pour arrêter, faute de quoi les tests seraient inexploitables et il faudrait recommencer toute la procédure à zéro. Posez votre combiné et partez déjeuner.

CANULAR DIT « DU MICRO-ONDES »

Affichez un formulaire officiel intitulé « Procédure de suivi du four à micro-ondes » juste à côté de l'appareil. L'ineptie de ce formulaire ne doit avoir d'égal que son caractère vain. Voyez combien de personnes inscrivent leur nom. Voici un énoncé possible. Adaptez-le en fonction de vos besoins spécifiques.

Procédure de suivi du four à micro-ondes

Aidez-nous à déterminer les temps de réchauffage idéaux pour ce four à micro-ondes. Veuillez inscrire la durée exacte du temps de réchauffage choisi AVANT de placer votre plat à l'intérieur de l'appareil. Le temps de réchauffage moyen varie de 1 à 4 minutes.

Nom du salarié	Description du plat	Temps de réchauffage
————	————	————
————	————	————
————	————	————
————	————	————

L'IMITATEUR

Avancez-vous vers deux de vos collègues, n'importe lesquels – appelons-les Pierre et Paul – et lancez : « Hé, Pierre, refais-nous ton imitation de Paul ! » Alors que Pierre proteste avec véhémence et se défend d'avoir jamais imité Paul, lâchez : « Allez, pas de fausse modestie. On était tous pliés de rire, hier. ». Faites demi-tour, et sortez.

CANULAR DIT « DU TAXEUR DE SERVICE »

Ce canular est taillé sur mesure pour les éternels taxeurs de service qui viennent systématiquement vous démolir vos friandises. Achetez un rouleau de réglisse. Ouvrez l'une des extrémités creuses du réglisse et remplissez-la de sel. Attendez que le taxeur professionnel vienne vous en demander un. Évitez de monter ce canular dans votre propre cellule de travail : ça risque fort de recracher et de mouliner dans tous les sens.

MISE À JOUR DES MONITEURS VIDÉO

Lorsqu'un collègue totalement sous-doué en informatique tentera d'améliorer les performances de son PC en passant de Windows 95 à Windows 98, dites-lui qu'il lui faut également un nouveau moniteur vidéo. Marmonnez un truc du genre « *interface vidéo* » en secouant la tête d'un air consterné. Le jour où votre victime fera sa demande pour un nouveau moniteur et qu'il verra sa note lui revenir constellée de postillons d'éclats de rire, dites : « Ils l'ont enfin corrigé, ce bogue ! »

TÉLÉPHONE APHONE

Ce canular est d'autant plus efficace qu'on le monte à plusieurs. Demandez à un certain nombre de camarades conspirateurs d'appeler la victime sous des prétextes divers. Demandez à la victime de parler plus fort car vous l'entendez mal. Si elle vous propose de vous rappeler, répétez juste la procédure. Voyez jusqu'à quel seuil sonore vous arrivez à la pousser.

Ce canular présente l'avantage d'horripiler non seulement votre victime, mais également tous les individus dans son voisinage.

ALERTE À L'AMIANTE

De : [respect de l'anonymat]
À : scottadams@aol.com

En voilà un qui n'est pas triste. Un jour, un de mes collègues a reçu au courrier un flacon stérilisé auquel était joint un comprimé effervescent pour le nettoyage des dentiers. Une note officielle également jointe à l'envoi expliquait qu'il s'agissait d'un test anti-amiante destiné à l'environnement des bureaux.

Cette note enjoignait « l'ensemble des salariés » à se livrer à un test tout simple consistant à remplir d'eau le flacon stérilisé, puis à jeter le comprimé dedans. Si l'eau virait au bleu, c'était le signe que la présence d'amiante avait été décelée dans votre bureau, et qu'il fallait quitter les lieux dans les plus brefs délais.

Des dizaines de gens se sont retrouvés sur le trottoir d'en face, confus, stupéfaits, et parfaitement blousés.

AUTO-MOBILE

De : [respect de l'anonymat]
À : scottadams@aol.com

Un jour qu'un de mes collègues de bureau était parti déjeuner en laissant ses clés de voiture sur son bureau, j'ai profité de mon heure de pause pour en faire faire un double. Les trois mois suivants, je m'en suis tenu à des trucs insignifiants : je déplaçais sa voiture d'un demi-tour sur elle même, j'allais la garer deux ou trois places plus loin, ou dans une autre allée – bref, des trucs d'une grande subtilité. Le seul truc un peu moins subtil auquel je me livrais quasiment chaque jour consistait à changer le préréglage de son autoradio, pour recaler les stations une par une sur une même FM locale diffusant de la musique d'ascenseur 24h/24. Les trois mois passèrent sans que le type ne pipe mot. Le jour de mon pot de départ, je me suis finalement avancé vers lui, j'ai détaché sa clef de voiture de mon porte-clés, et je la lui ai solennellement remise. Le spectacle de son visage s'éclairant peu à peu était franchement cocasse. Là où je me suis senti un peu gêné aux entournures, c'est quand il m'a avoué avoir rapporté quatre fois de suite son véhicule chez le concessionnaire, dans le vain espoir qu'on lui répare son autoradio.

E-MAIL À L'ENSEMBLE DU SERVICE

De : [respect de l'anonymat]
À : scottadams@aol.com

Dans mon groupe de travail, nous avons accès à des listes d'adresses e-mail. L'une de ces listes permet d'adresser un même e-mail à l'ensemble des membres du groupe.

Depuis plusieurs semaines, je me livre avec un collègue à un échange par e-mail de blagues cochonnes et, l'autre jour, il m'a envoyé la plus cochonne de toutes.

J'ai donc répondu à son e-mail avec « rappel du message d'origine », mais non sans en avoir modifié l'en-tête spécifiant l'unique destinataire (en l'occurrence moi), pour le remplacer par la liste du groupe. L'objet de mon e-mail était de lui demander s'il avait vraiment l'intention de l'envoyer à l'ensemble du groupe !

Je crois que ça a complètement ruiné sa journée, voyez-vous. Je me suis rendu vers sa cellule de travail, et il était sur le point de disjoncter. Il n'arrivait pas à croire, me dit-il, qu'il ait pu faire une erreur pareille. Il m'a demandé s'il existait un moyen de rapatrier l'ensemble des e-mails. Je le regardais paniquer. Et, là, il m'a été impossible de garder mon sérieux plus longtemps.

VOUS L'AVEZ RÊVÉ, ÇA LE FAIT

De : [respect de l'anonymat]
À : scottadams@aol.com

Peu de temps après avoir installé de nouvelles consoles sur l'ensemble des postes de travail de mon service, j'ai découvert qu'il était facile de lancer à distance des applications sur les ordinateurs de mes collègues. J'ai conçu un logiciel déclenchant la lecture d'un fichier-son selon un horaire aléatoire, mais plus particulièrement en fin de journée. Puis j'ai enregistré une voix urgente qui chuchotait : « Psst, Georges ! Par ici ! » Ce fichier-son programmé, j'ai lancé l'application à distance sur l'ordinateur de Georges. J'ai fait durer le plaisir quelques semaines.

CANULAR DIT « DU CONSTIPÉ »

De : [respect de l'anonymat]
À : scottadams@aol.com

J'ai eu un chef terriblement despotique. Un vrai tyran. C'était un avocat genre constipé, avec des habits impeccablement repassés, des cols amidonnés à l'extrême et des chaussures toujours rutilantes.

Les jours où il me saoulait un peu trop, je m'asseyais à mon bureau et je jetais un trombone sur la moquette, juste devant la porte du sien. Ça marchait à tous les coups : il ouvrait sa porte et c'était plus fort que lui. Avant de pouvoir faire quoi que ce soit d'autre, il fallait qu'il se remonte le pantalon (en le pinçant délicatement par les plis), qu'il se penche en avant, et qu'il ramasse son trombone. Il venait alors jusqu'à mon bureau pour le poser délicatement dans le pot prévu à cet effet.

On aurait pu penser qu'il finirait par se douter de quelque chose, étant précisé que, certains jours, je lui faisais le coup trois ou quatre fois dans la journée. Mais non, rien du tout.

Je me prenais à imaginer ce qu'il se passerait si – prenons un exemple au hasard – il se retrouvait avec les deux jambes cassées, dans l'impossibilité de se pencher en avant pour ramasser ses trombones. Je parie qu'il serait toujours en train de tourner en rond devant la porte de son bureau, incapable de franchir l'obstacle.

ATTENTION, ORDINATEUR MÉCHANT

Si vous vous débrouillez pour obtenir le mot de passe de l'ordinateur d'un de vos collègues, les possibilités de canular sont infinies.

De : [respect de l'anonymat]
À : scottadams@aol.com

Je travaille au service infogérance d'une petite entreprise, ce qui me permet d'avoir plus ou moins accès à la totalité des ordinateurs, afin de pouvoir mettre à jour les systèmes, corriger les bogues, etc. Il se trouve que, par ailleurs, j'avais une collègue qui passait son temps à me faire des gags. À la longue, j'ai fini par trouver cela véritablement agaçant.

Un jour, j'ai mis la main sur une sympathique petite extension Macintosh permettant d'envoyer à un autre utilisateur Mac des messages qui ressemblent à s'y méprendre aux messages d'alerte signalant une erreur système. J'ai installé cette extension dans son ordinateur et, un jour, juste avant le déjeuner, je l'ai activée. Le message suivant est apparu sur son écran :

« Attention!! Défaillance de l'écran de protection anti-radiations de votre moniteur. Évacuez de toute urgence le plus loin possible de cet ordinateur. »

J'ai entendu un hurlement d'effroi et vu ma collègue fuir sa cellule de travail en courant, sous l'œil hilare de nombreux témoins.

Vengeance... Ô, douce vengeance...

NB : Si quelqu'un s'amuse à concevoir un logiciel-canular de ce type, un sympathique petit « plus » consisterait à configurer le programme de telle sorte qu'il génère une légère distorsion du signal sur toute la surface de l'écran, afin de simuler une émission de radiations.

SPEED III : « L'ORDINATEUR »

Une variante du canular ci-dessus consiste à faire surgir des messages d'erreur sur l'écran du moniteur de votre victime, l'enjoignant d'enfoncer une touche du clavier toutes les cinq secondes pour éviter un arrêt fatal de son disque dur. Faites apparaître à l'écran un compte à rebours que l'action sur n'importe laquelle des touches suffit à réinitialiser. Voyez combien de temps vous arrivez à maintenir votre victime bloquée à son bureau, condamnée à taper sa touche. Quand votre victime hurlera à l'aide, offrez-lui d'aller chercher quelqu'un qui saura très exactement corriger ce problème en particulier. Puis, prenez votre journée.

DIEU TE PARLE

De : [respect de l'anonymat]
À : scottadams@aol.com

J'ai réussi à prendre le contrôle de l'ordinateur de ma chef en y accédant par le réseau. Je me suis connecté sur sa machine, j'ai lancé WordPerfect, et j'ai saisi : « Viens dans la lumière. » Quand j'y pense, je me dis que j'y suis peut-être allé un peu fort, mais, bon, quand elle m'a dit que Dieu lui avait révélé qu'Il venait la sauver, j'ai failli m'étouffer de rire.

LE SEAU À MERDRE

De : [respect de l'anonymat]
À : scottadams@aol.com

L'étage des ingénieurs n'était pas équipé de la moindre tuyauterie. Donc, pour éviter d'avoir à descendre plusieurs étages pour vider nos cafés froids, nos sodas éventés, etc., nous avons installé un énorme seau blanc (plus connu sous le nom de « seau à merdre ») dans la chaufferie, et c'est dans ce seau que nous allions nous défaire des divers liquides dont nous n'avions plus l'usage.

En général, le seau à merdre était vidé une fois par semaine mais en l'occurrence, l'Entretien avait sans doute oublié de le faire, et le seau s'était rempli de façon excessive. Tellement excessive que, de fait, les seules choses retenant une partie des liquides étaient, d'une part, la loi de la tension superficielle et, d'autre part, la jolie et très hygiénique couche de moisi blanc qui rongeait toute sa surface.

Or, figurez-vous que, le jour même de sa prise de fonctions, notre toute nouvelle collègue eut besoin d'aller vider son café qui s'était refroidi, et demanda où il était possible de le faire. Faisant preuve d'esprit d'initiative, l'un des jeunes ingénieurs lui expliqua qu'elle n'avait qu'à bazarder ça dans le « seau avec le couvercle » qui se trouvait dans la chaufferie. Environ une minute plus tard, l'écho d'un hurlement d'effroi se répercuta jusque dans l'entrée, située au rez-de-chaussée : elle venait de plonger la main dans le « couvercle » pour le soulever.

SOURIEZ, VOUS ÊTES FILMÉ

De : [respect de l'anonymat]
À : scottadams@aol.com

Je travaille dans une entreprise qui produit des applications vidéo télécommandées. J'ai raconté à une personne de la comptabilité, qui me bloquait le remboursement de toute une série de notes de frais, que j'avais transféré à distance dans son PC une application me permettant d'utiliser sa souris comme une caméra avec micro intégré. Je lui ai expliqué que ce qu'elle avait récemment fait avec mes notes de frais, ainsi que les propos qu'elle avait tenus à ce sujet, ne m'avait pas beaucoup plu. Avant, je devais attendre jusqu'à deux mois pour être remboursé de mes notes de frais. Aujourd'hui, ça prend quelques jours.

NB : Une variante de ce canular consiste à raconter aux salariés que les nouveaux moniteurs vidéo sont équipés de caméras et de microphones intégrés permettant à toute personne dotée du logiciel idoine de les tenir sous surveillance via le réseau local.

QUAND PC RENCONTRE SALLY

De : [respect de l'anonymat]
À : scottadams@aol.com

Un matin que j'étais arrivé tôt au bureau, je me suis aperçu que l'un de nos directeurs adjoints avait laissé son ordinateur portable allumé toute la nuit, sans aucun mot de passe pour en protéger l'accès.

J'ai copié un fichier-son, celui où l'on entend Meg Ryan simuler l'orgasme dans *Quand Harry rencontre Sally*, et je l'ai installé dans le PC du directeur adjoint.

J'ai systématiquement assigné ce même fichier-son à chacune des opérations possibles sous Windows, de telle sorte que, virtuellement, il ne puisse pas bouger le petit doigt sans émoustiller Meg.

Pour faire bonne mesure, j'ai poussé au maximum le volume sonore de son PC, tablant sur la probabilité que son trouble serait si grand que jamais il ne trouverait la commande de réglage pour le baisser.

Lorsqu'on donne une bonne leçon, il est d'une importance capitale de le faire en présence d'autres personnes, afin que celles-ci apprennent par l'exemple. Ces personnes sont appelées des témoins, et j'en avais beaucoup.

Lorsque le D.A. déclencha son premier fichier-son, nous étions par terre, explosés de rire. Il ne savait pas comment s'y prendre pour faire cesser ce vacarme. Claquer la porte de son bureau n'y fit pas grand chose. Même à travers la porte, le son portait tellement qu'il emplissait la moitié de l'immeuble, attirant largement plus de témoins que je n'en avais convié.

Trois quarts d'heure et un nombre infini de tentatives infructueuses plus tard (il n'a jamais trouvé le réglage du volume), le D.A. réussit finalement à arracher à Meg son dernier râle.

Ce soir-là, le D.A. n'oublia pas son portable. À bon entendeur, salut !

MONITEUR RETOURNÉ

De : [respect de l'anonymat]
À : scottadams@aol.com

Un jour que je naviguais sur le web, je suis tombé sur une police de caractères d'apparence tout à fait classique, à ce détail près que tous les caractères avaient la tête en bas.

J'ai chargé la police dans l'ordinateur d'un collègue particulièrement sous-doué en informatique, et j'ai configuré les préférences de façon à étendre l'usage de cette police à la totalité des opérations exécutées sous Windows.

J'ai laissé un message au type du support technique lui expliquant mon canular. Lorsque ma victime contacta l'assistance technique au sujet du problème qui venait de surgir, il lui fut répondu que c'était un problème de hardware, et qu'il fallait commander la pièce. En attendant, il pouvait toujours retourner son moniteur.

Il était justement en train de retourner son écran quand je suis passé lui faire un petit coucou.

RÉPONDEUR POSSÉDÉ

De : [respect de l'anonymat]
À : scottadams@aol.com

Nous avions envie de remettre à sa place une collègue particulièrement agaçante. Nous avons appelé chez elle pendant ses heures de travail et, lorsque son répondeur téléphonique a décroché, nous avons activé la fonction « conversation à trois », puis immédiatement composé son numéro de poste au bureau. Inutile de dire qu'elle a COMPLÈTEMENT PÉTÉ LES PLOMBS quand elle a réalisé que SON RÉPONDEUR L'APPELAIT AU TRAVAIL ! ! ! Heureusement pour les trois complices impliqués dans le canular, nous avons réussi à garder un visage impassible tandis qu'elle nous expliquait ce qu'il lui était arrivé. Elle est même allée jusqu'à émettre l'hypothèse que son répondeur était peut-être possédé. Je me demande si elle comprendra un jour.

BATTERIES FAIBLES

De : [respect de l'anonymat]
À : scottadams@aol.com

Si votre cible est équipée d'un récepteur de radiomessagerie alphanumérique, bombardez-la de messages d'alerte : « Batteries faibles ».

Vérifiez que le terminal depuis lequel vous envoyez vos messages à destination du *pager* n'ajoute pas d'autorité une signature ou un code date en fin de message.

La victime passera son temps à changer les piles de son messager de poche ou, mieux, à l'envoyer en réparation au SAV, pour chaque fois se le voir retourné avec la mention : « Rien à signaler ». Recommencez alors à lui envoyer vos messages « Batteries faibles ».

De nombreux récepteurs de radiomessagerie alphanumériques étant maintenant accessibles via le web, ce petit canular est très facile à monter depuis votre cellule de travail, tout en donnant l'impression de fournir un travail effectif.

LES ENJOLIVEURS

De : [respect de l'anonymat]
À : scottadams@aol.com

Un de mes collègues avait perdu deux enjoliveurs de sa voiture et il a roulé comme ça pendant des mois. Un beau jour, nous lui avons démonté les deux enjoliveurs qui restaient, et nous sommes montés les lui rapporter dans son bureau.

Je lui ai raconté que j'avais un ami qui avait exactement la même voiture ; il venait de la mettre à la casse, et j'avais sauvé ces deux enjoliveurs *in extremis* avant que le véhicule ne parte chez le ferrailleur. Je les lui ai tendus en lui disant qu'ils étaient pour lui (mes complices pensent qu'on aurait dû me décerner un Oscar pour avoir gardé mon sérieux tout au long de cette histoire).

Il a examiné les deux enjoliveurs et a remarqué qu'ils étaient EXACTEMENT du même modèle que les siens ; y compris les bosses et les rayures !

Plus tard, à l'heure du déjeuner, il est descendu fixer ses enjoliveurs « neufs » sur les roues de sa voiture. S'apercevant que les autres avaient également disparu, il m'a dit : « Dommage, tu aurais dû m'en rapporter quatre ! »

MANUCURE

De : [respect de l'anonymat]
À : scottadams@aol.com

Voici un truc que nous faisions il y a quelques années dans une entreprise pour laquelle je travaillais. Quand les gens viennent voir un collègue dans sa cellule de travail, ils agrippent parfois l'arête supérieure de la cloison mitoyenne. Si vous vous trouvez dans la cellule de travail contiguë, vous pouvez tranquillement leur « faire » les ongles, en les marquant un à un d'un gros point blanc au Tipp-Ex.

UN CAUCHEMAR DE TÉLÉPHONE

De : [respect de l'anonymat]
À : scottadams@aol.com

Notre truc à nous, c'était d'aller dans le bureau de quelqu'un, et de lui scotcher le commutateur de son téléphone. Nous faisions alors son numéro de poste, et nous observions sa réaction quand, une fois le combiné décroché, la sonnerie continuait à retentir.

Il y a un type à qui nous faisions le coup au moins une fois par semaine.

ARGENT PAS CHER

De : [respect de l'anonymat]
À : scottadams@aol.com

Chaque année, mon entreprise organise une illumination de Noël animée par notre PDG. L'événement est facultatif et, en général, seule une petite partie du personnel s'y rend. Certains d'entre nous ont décidé de faire un petit gag à ceux qui n'avaient pas jugé bon d'assister à cette chaleureuse cérémonie. Chacun s'est rendu à sa banque pour en revenir muni d'un beau billet de 500 F tout craquant. Une fois la cérémonie terminée, chacun a regagné son poste de travail et exhibé le billet de 500 F qui lui avait été « gracieusement remis » à l'occasion de l'événement. Je crois que l'année prochaine, on enregistrera une hausse de la fréquentation.

BIP CENSURÉ

De : [respect de l'anonymat]
À : scottadams@aol.com

J'ai conçu un petit programme Visual Basic censé émettre un bip unique selon une cadence aléatoire, à des intervalles compris entre 17 et 22 minutes. Je l'ai chargé sur le PC du type qui occupe la cellule de travail contiguë à la mienne, je l'ai rangé dans son répertoire système sous C : \Windows et j'ai créé un alias que j'ai glissé dans le dossier « Ouverture au démarrage ». Le secret, pour qu'un fichier-canular n'éveille aucun soupçon, c'est de lui donner un nom à consonance officielle, style dev-sup32.exe. Le caractère aléatoire du bip rend le problème encore plus difficile à isoler.

Le plus savoureux, dans l'histoire, c'est que mon vocabulaire s'enrichit de jour en jour, et de façon notable. Jusqu'à présent, mon voisin utilisait l'expression : « C'est quoi, cette espèce de truc ? ». Mais, là, « cette espèce » est remplacé par des termes beaucoup plus vulgaires.

TÉLÉPHONE SAUTEUR

De : [respect de l'anonymat]
À : scottadams@aol.com

Au moyen d'un cure-pipe, attachez sur lui-même le fil d'un poste de téléphone, de telle sorte qu'il devienne le plus court possible. Lorsque la sonnerie retentira, votre victime décrochera, et son téléphone lui sautera au visage.

NB : Cette technique est particulièrement utile pour les réunions avec ces collègues malpolis qui prennent les appels alors que vous êtes dans leur bureau.

PRÉSUMÉ MORT

De : [respect de l'anonymat]
À : scottadams@aol.com

J'ai travaillé avec quelqu'un qui n'ouvrait son courrier (papier) qu'une fois de temps en temps. Il le laissait s'accumuler dans son casier « Courrier-arrivée » jusqu'à ce que le casier soit bourré à craquer, et, là, il ouvrait tout d'un coup. Un jour, profitant de ce qu'il était sorti du bureau, un de mes collègues a subtilisé toute la pile, apposé la mention « DÉCÉDÉ » sur chacun des courriers, et a replacé toute la pile, mais cette fois dans le casier « Courrier-départ. »

Il a bien fallu une année entière, m'a-t-il dit, pour remettre de l'ordre dans la confusion qui s'en est ensuivie.

RAID ANTIAÉRIEN

De : [respect de l'anonymat]
À : scottadams@aol.com

Le système d'alarme de nos locaux était équipé d'un bouton-test déclenchant une sirène assourdissante. Lorsque mes nouveaux collègues ont pris leurs fonctions, mon chef de service et moi-même les avons informés du fait que l'entreprise exigeait qu'un exercice anti-raid aérien soit organisé, en cas d'attaque nucléaire. Nos collègues – tous des jeunes – trouvèrent l'idée stupide, mais crurent effectivement que les instructions venaient d'en haut.

Nous leur avons expliqué qu'au déclenchement de la sirène tous les caissiers devaient prendre leur caisse, courir en direction des abris de sécurité, et PROTÉGER LES ESPÈCES EN FAISANT BOUCLIER DE LEUR CORPS. La manœuvre se déroula conformément au briefing.

Nous les avons mis au parfum de notre petit canular quelques jours plus tard. Ils ont un peu ri jaune.

POP-CORN VENU DU CIEL

De : [respect de l'anonymat]
À : scottadams@aol.com

La veille de mon dernier jour à un poste, j'ai passé ma soirée à construire une subtile embuscade. Le lendemain matin, lorsque mon chef arriva, sous l'œil du staff au grand complet (j'avais annoncé mon coup monté), il s'assit à son bureau et lut un message lui demandant un certain document. Il se pencha en avant pour ouvrir son grand tiroir à dossiers suspendus. Le fait d'ouvrir ce tiroir actionnait un fil qui, passant par toute une série de poulies, ouvrait finalement une trappe dans le faux plafond. Cette plaque maintenait 1 mètre cube de « pop-corn » en polystyrène expansé, qu'un entonnoir bricolé avec des cartons scotchés dirigeait vers sa cible. Une avalanche de « pop-corn » s'abattit pendant à peu près dix secondes sur la tête de mon chef. Cet assaut se terminait par le largage d'un panneau rédigé en ces termes : « Alors, content que ce soit mon dernier jour, aujourd'hui ? »

TRÈS HAUTE TENSION

De : [respect de l'anonymat]
À : scottadams@aol.com

À une époque, je travaillais avec un collègue qui adorait faire des gags à son chef d'équipe. L'ordinateur de ce chef d'équipe était branché sur une multiprise de sécurité, munie d'un interrupteur, située sous son bureau et, chaque matin, le chef d'équipe se mettait à quatre pattes pour actionner l'interrupteur.

Un soir, notre farceur brancha sur la multiprise une sirène d'alarme d'une puissance de 110 dB, et la dissimula derrière le bureau. À l'abri derrière une triple épaisseur de portes, on entendit d'abord l'alarme se déclencher, puis la tête du chef de service percuter le plateau de son bureau, et, pour finir, le nom du farceur aboyé à travers la pièce.

À VOS SOUHAITS !

De : [respect de l'anonymat]
À : scottadams@aol.com

Remplissez-vous les mains d'eau, emboîtez le pas d'un collègue, faites semblant d'éternuer, et éclaboussez-lui tout le cou. Pour un effet accru, continuez à marcher, les yeux rivés sur les paumes de vos mains, en murmurant de façon presque inaudible que c'était là un éternuement extraordinaire, que vous venez de pulvériser votre propre record de distance, et que vous avez bénéficié d'un facteur d'absorption exceptionnel.

TRÔNE CÂBLÉ

Faites courir de faux câbles dans les toilettes, de telle sorte qu'il soit difficile d'en localiser l'origine. Placardez des affiches expliquant que des téléphones seront bientôt installés dans les W-C, afin d'éviter aux salariés un fléchissement de la cadence horaire. Comportez-vous comme si cela vous semblait une bonne idée, et étonnez-vous qu'on en fasse toute une histoire.

CONSEILS TECHNIQUES FOIREUX

Les conseils techniques foireux sous toutes leurs formes peuvent se révéler un formidable divertissement. Efforcez-vous de donner des conseils suffisamment foireux pour inciter votre victime à se couvrir de ridicule devant une nombreuse assistance. Voici quelques exemples de conseils à prodiguer à quelqu'un dont l'ordinateur ne cesse de bloquer :

▶ C'est peut-être une surchauffe. Essayez d'éventer votre ordinateur environ toutes les dix minutes, en vous servant d'un gros classeur.

▶ Posez le combiné de votre téléphone contre votre ordinateur, que je puisse l'entendre. Maintenant saisissez en rythme un truc sur votre clavier, style pulsations cardiaques.

▶ La bille de votre souris a peut-être perdu de son élasticité. Ouvrez la souris, sortez la bille, et massez-la légèrement.

▶ Votre moniteur a peut-être besoin d'une démagnétisation sonique. Placez-vous face à votre écran et essayez de lui siffler un mi bémol. Continuez pendant un moment : il faut bien compter une minute avant d'obtenir un résultat.

▶ Votre ordinateur capte peut-être des utilisateurs de CB dans les parages, d'où les interférences. Hurlez : « *S'il vous plaît, changez de fréquence ! Terminé.* » dans l'ordinateur, pour voir.

▶ C'est un problème d'électricité statique. Il faut impérativement vous déchausser et enlever vos chaussettes lors de la saisie. Et surtout, veillez à ce qu'aucun vêtement, quel qu'il soit, n'approche du clavier : plaquez-vous les cheveux bien en arrière et tenez-vous le plus loin possible du clavier lorsque vous saisissez.

▶ J'entends beaucoup parler de ce problème, ces derniers temps. C'est dû à l'éclipse solaire imminente. Prenez une boîte à chaussures, faites un trou d'épingle dedans, et essayez de visualiser votre écran au travers.

▶ Pour être convenablement relié à la terre quand le boîtier d'un PC est ouvert, vous devez porter un bracelet antistatique. Si vous n'en avez pas à portée de main, un simple collier de chien fera l'affaire. Passez-le autour du cou, et connectez simplement la laisse sur le côté du PC au moyen d'un gros trombone.

Pour échapper à toute rétorsion pour avoir prodigué des conseils foireux, on peut les formuler sous forme de questions. On peut alors décliner toute responsabilité le jour où les choses tournent à la catastrophe. Il suffit de dire : « Hé, je n'ai fait que poser une question ! » Voici quelques bonnes questions à poser à des collègues sous-doués en informatique.

➤ Vous avez essayé de le soulever et de le secouer ?

➤ Vous n'avez jamais songé à le faire tremper dans du vinaigre ?

➤ Je me demande ce qui se passerait si on mettait un énorme aimant dessus ?

FAIRE-VALOIR

Imaginons un collègue qui doit boucler un projet vital et qui essaye désespérément de se concentrer – le genre de période où la moindre distraction devient un frein majeur. Téléphonez à la personne qui occupe la cellule de travail contiguë et posez-lui des questions ineptes, telles que : « Dans vos extrapolations de budget, vous comptez bien

100 centimes pour 1 franc ? » Insistez sur le fait que la communication est mauvaise et demandez à votre correspondant de parler plus fort. Et encore plus fort. La personne montera non seulement d'un ton, mais, en plus, elle se fâchera tout rouge. Mieux, elle se mettra à dire des trucs totalement insensés, genre : « DEUX PETITES TÊTES, ÇA VAUT MIEUX QU'UNE GROSSE ! ! ! »

Tout ceci mettra votre victime dans une colère noire, mais ce n'est pas après vous qu'elle en aura. Vous, vous serez bien à l'abri à plusieurs mètres de là, douillettement installé dans votre petite cellule de travail.

ELLE EST OÙ, CETTE APPLICATION ?

Faites de loin en loin une allusion au fait que vous avez gagné un temps fou grâce au tout nouveau service de gestion des documents de l'entreprise. Expliquez comment vous vous êtes connecté au copieur via le port imprimante de votre ordinateur, et comment les documents ont été automatiquement reliés et agrafés. Le jour même, le Service Intégré de Livraison Documents (S.I.L.D.) – à qui vous aviez transmis vos instructions par e-mail – a assuré la distribution de vos deux cents exemplaires. Si un collègue vous demande la procédure à suivre, parlez-lui d'une vague icône sur l'écran de son moniteur, dont l'apparence évoque « un croisement entre une BD de Moebius et un pique-nique ». Votre collègue passera des jours et des jours à explorer son propre ordinateur à la recherche de la fameuse icône. Chaque fois qu'il reviendra à la charge en demandant plus de précisions, changez de sujet.

THE MASK, VERSION MAINS LIBRES

Si l'un des intervenants à votre réunion est à l'extérieur et y participe via un téléphone amplifié, voici une occasion en or de vous amuser à ses dépens, sans grands risques de

vous exposer à des représailles. Découpez l'un des masques de demeuré grandeur nature figurant sur la double page précédente – au choix, modèle homme ou modèle femme – et recouvrez-en le haut-parleur.

CES PETITS BRUITS QUI FONT CRAQUER LES COLLÈGUES

Produire des sons pour faire craquer ses collègues de bureau est également un divertissement formidable. Chaque collègue étant unique, vous allez peut-être devoir vous livrer à un certain nombre d'expériences avant de déterminer quels sons en particulier seront les plus pénibles pour les uns et les autres. Mais le jeu en vaut la chandelle.

À en croire les e-mails que je reçois, le son le plus horripilant qui peut franchir une cloison de cellule de travail est celui qu'on fait quand on se coupe les ongles. J'ai reçu des dizaines de messages électroniques m'expliquant que le simple « *clic... clic... clic* » en provenance d'une cellule de travail adjacente peut suffire à vous faire tourner en bourrique. Hélas, les ongles ne poussent pas assez vite pour être en mesure de produire un tel son à la fréquence souhaitée. Mais rien ne vous empêche de parer à cette défaillance de la nature en le stockant sous forme de fichier-son dans votre ordinateur, et à en programmer la lecture quand vous êtes en rendez-vous à l'extérieur

La liste des bruits de bureaux horripilants serait longue. Rien ne vous empêche d'en inventer quelques-uns vous-même. Voici un kit de base pour vous mettre dans le bain. Le critère de sélection, permettant de déterminer si un son est recommandé, est le suivant : il doit être grossier, mais juste ce qu'il faut pour rester en deçà d'un certain seuil de tolérance. Une personne civilisée devrait pouvoir l'endurer sans avoir envie d'en faire toute une histoire. Cet équilibre délicat accroît l'efficacité de la nuisance, tout en activant dans le cerveau de la victime une petite voix qui lui dit et qui lui redit : « IL NE SE REND DONC PAS COMPTE À QUEL POINT C'EST MALPOLI ? ? ? ? ? ! ! ! ! »

PETITS BRUITS HORRIPILANTS AU BUREAU

▶ Le bruit de quelqu'un qui chlurpe son café

▶ Le bruit de quelqu'un qui tambourine sur la table avec ses doigts

▶ Le bruit de quelqu'un qui sifflote

▶ Le bruit de quelqu'un qui fait craquer ses articulations

▶ Le bruit de quelqu'un qui fait rentrer et sortir la mine de son stylo

▶ Tout truc nasal

CONTRE-ESPIONNAGE

Un truc très rigolo consiste à bombarder vos collègues « d'informations » totalement fantaisistes, puis de voir s'ils vont aller les répéter en public. Sur le plan du concept, c'est un peu la même chose qu'élever des pigeons voyageurs. Chacun de ces deux hobbies implique d'attacher une information à une créature dotée d'un cerveau minuscule, puis

de s'émerveiller quelque jours plus tard lorsque cette information vous revient. Rien ne justifie une telle activité. C'est
simplement formidable quand ça fonctionne.

S'il existe un vivier d'informations insensées, c'est bien
la géopolitique. Dites à un collègue que vous envisagez de
faire un voyage en Alaska, sous réserve que les autorités
russes vous délivrent votre visa. Si votre collègue a l'air
interloqué, expliquez-lui que les États-Unis viennent de
vendre l'Alaska à la Russie, à la suite de révélations selon
lesquelles les réserves pétrolifères tant convoitées de
l'Alaska ne seraient, en dernière analyse, que du vulgaire
gasoil. Cela paraît vaguement plausible. Au moindre hoche-
ment de tête affirmatif, profitez des vents favorables et
laissez-vous embarquer sur votre bateau ivre aussi longtemps qu'ils souffleront. Parlez avec une tristesse rêveuse du
bon vieux temps où l'Alaska avait sa propre famille royale –
la Dynastie Onslégèle. Destin tragique, tous les Onslégèle
furent enlevés puis exécutés au cours de la Grande Guerre
Canadienne. La plupart des indigènes d'Alaska, les « Esks »,
furent réduits en esclavage et exportés au Canada comme
professeurs de judo. D'où l'expression peu obligeante :
« Esk... Kimo. »

Une fois les fleurs du mal plantées, laissez reposer une
petite semaine puis, devant une assistance constituée
d'hommes et de femmes, faites allusion à l'Alaska en présence de votre victime. Elle aura très envie d'étaler un peu

son savoir. C'est là que vous allez franchement vous amuser.
Le seul risque, c'est de vous éjecter un rein par l'urètre tellement vous serez gondolé.

Voici quelques exemples de « bonnes » informations à
transmettre à vos collègues :

- ▶ En Chine, aussi bizarre que cela paraisse, personne ne mange chinois.

- ▶ La vitesse de la lumière est supérieure à celle du son du fait de la forme de vos oreilles.

- ▶ L'espagnol et le français sont deux langues quasiment identiques, sauf qu'en espagnol il y a moins de mots pour désigner le fromage.

- ▶ Quand un hommes d'affaires japonais fait des cour-bettes, c'est pour qu'on lui masse le cuir chevelu.

- ▶ Fumer est bon pour la santé depuis que des scienti-fiques ont révélé qu'au lieu d'inhaler la fumée, il fallait l'avaler.

- ▶ On n'est pas imposable dès lors qu'on a un numéro de Sécurité sociale sur liste rouge.

- ▶ Sur demande, votre bureau de poste vous fournira des copies de vos vieux courriers.

- ▶ Une fois tous les six mois, lorsque la Terre accomplit une rotation complète sur son axe, la Corée du Nord devient la Corée du Sud, et vice versa.

SPÉCIAL PARANOÏAQUES

Si vous avez parmi vos collègues un paranoïaque notoire, ce canular est du sur-mesure. Prenez une enveloppe réutilisable de type courrier intérieur – on raye le destinataire précédent pour inscrire le nom du suivant – et ajoutez deux destinataires. Le nom et les coordonnées de la victime doivent figurer au bas de la liste. Pour le destinataire figurant juste au-dessus du nom de la victime, choisissez soit la Direction des ressources humaines, soit le service juridique, au choix : optez pour le plus redouté dans les murs. La seule indication de la provenance de l'enveloppe est fournie par l'adresse qui précède celle de votre destinataire. Fermez l'enveloppe avec du ruban adhésif, barrez-la d'un gros « Confidentiel », puis ouvrez-la en la déchirant. Déposez l'enveloppe – ouverte et vide – dans le casier « Courrier-arrivée » de votre victime.

Réquisitionnez des complices pour vous assister sur la phase suivante. Chaque fois que vous croiserez la victime, prenez un air sincèrement désolé et lancez : « Les boules ! ». Ou encore : « Franchement, tu ne méritais pas ça. ». Puis, éloignez-vous d'un pas alerte.

PLAISIR DE TÉLÉPHONER

Vous détestez au moins deux collègues ? C'est plus qu'il n'en faut pour s'amuser au téléphone. Glissez-vous subrepticement dans la cellule de travail de l'un, et renvoyez sa ligne sur celle de l'autre. Les résultats obtenus seront particulièrement satisfaisants si vos collègues se détestent autant que vous les détestez vous-même. L'idéal serait qu'ils travaillent dans des bâtiments différents, ou en tout cas pas au même étage. L'appelé sera dans l'impossibilité de joindre l'autre victime au téléphone ; s'il veut essayer de comprendre ce qu'il se passe, il lui faudra donc se dégourdir un peu les jambes.

Une variation sur ce thème consiste à appeler une personne, puis, après avoir activé le service « Conversation à trois » de votre appareil, à en appeler une seconde. Ne dites rien ; contentez-vous de mettre en contact les deux personnes. Voyez combien de temps il leur faudra pour s'apercevoir que ni l'un, ni l'autre n'a appelé son correspondant.

ABUS DE MAINS LIBRES

Parmi toutes les misères de la vie de bureau, celle dont j'entends le plus souvent les gens se plaindre concerne les demeurés qui se sentent obligés de brancher le haut-parleur de leur téléphone pour mener leurs affaires depuis leur cellule de travail. La nuisance sonore que cela engendre fait baisser la productivité dans un rayon de dix cellules de travail à la ronde. On peut sevrer un agresseur de ce type de dépendance en lui laissant des messages suggestifs sur sa boîte vocale. À la lecture des messages, on entendra dans toutes les cellules de travail des environs la chose suivante : « Thierry, c'est Alain, de l'Association des amoureux des chèvres. C'est pour savoir si cette année encore tu envisages de présenter ta candidature comme trésorier. Tu sais que tu peux compter sur ma voix. On se voit à l'assemblée générale, de toute façon. N'oublie pas ta petite laine. »

NB : Passez impérativement par une ligne extérieure pour laisser votre faux message. Lorsqu'on appelle sur le même réseau, la plupart des systèmes de messagerie vocale signalent le nom de l'appelant en répercutant son message.

FAUX RÈGLEMENTS INTÉRIEURS

Vos collègues ont été formés à accepter comme une fatalité n'importe quelle procédure mise en œuvre par la direction de l'entreprise. Cela vous donne toute liberté pour inventer de toutes pièces vos propres règlements intérieurs, et voir combien vont tomber dans le panneau.

Entreprise et don d'organes

Éditez un formulaire intitulé « Entreprise et don d'organes » et diffusez-le dans tout le service. L'objet de ce formulaire est de demander aux gens de se porter volontaires afin qu'on leur prélève un organe, pour compenser les frais engagés par le budget Pépito des réunions en interne. Joignez une courbe montrant que le prix du paquet de Pépito est en augmentation constante. Précisez clairement que ce programme n'a rien d'obligatoire. Toutefois, un rapport sera édité chaque trimestre, afin de porter à la connaissance des décisionnaires en charge des promotions internes et des augmentations de salaire le nom des volontaires.

Tenue obligatoire

Diffusez une version mise à jour du code vestimentaire obligatoire déjà en vigueur dans votre entreprise. Pour en accroître le réalisme, faites en sorte qu'on ne puisse y déceler aucune trace de logique. Si, par exemple, votre entreprise applique le « Vendredi, tenue sport tolérée », rien ne vous empêche de diffuser une note instaurant le « Jeudi, jour des taches ». Le jeudi-jour-des-taches serait un jour où le traditionnel costume-cravate/tailleur-escarpins serait de rigueur, mais à l'occasion duquel on assouplirait les critères de propreté, d'assortiment et de nuisance olfactive. Il offrirait une transition en attendant le vendredi-tenue-sport-tolérée. On a tous dans notre penderie une tenue formidable mais avec un léger défaut – un bouton qui manque, une tache qui ne veut pas partir, une brûlure de cigarette – ce genre de trucs. Ou encore un ensemble qu'on est trop fainéant pour porter au pressing et qui sent la girafe crevée. Le jeudi, jour des taches, ces tenues-là seraient tolérées. Précisez dans votre note que c'est à ce genre d'initiatives managériales qu'on reconnaît une entreprise qui gagne.

Liste des distributeurs agréés

Mettez au point une liste de distributeurs agréés constituée exclusivement d'entreprises ayant mis la clé sous la porte. Expliquez dans une note à part que cette liste est l'aboutissement de plusieurs années de recherches. La nouvelle réglementation en vigueur stipule que seuls les distributeurs figurant sur cette liste sont agréés, et que les salariés sont requis de s'y tenir, à l'exclusion de tout autre. Trouvez le nom de quelqu'un ayant récemment quitté l'entreprise et citez-le comme contact officiel pour toute information concernant cette réglementation.

Obligation d'utiliser les produits maison

Faites circuler un e-mail d'apparence officielle, obligeant l'ensemble des salariés à se servir exclusivement des produits commercialisés par l'entreprise. Le ton de la note doit insinuer que c'est là une mesure de rétorsion suite à des performances médiocres. Si un relèvement des bénéfices dégagés devait être enregistré en fin d'exercice prochain, le droit d'utiliser les produits de la concurrence serait rendu au personnel.

Salariés à fort potentiel

Celui-ci est basé sur une histoire vraie. Rédigez une parodie de nouvelle réglementation instaurant que seuls les salariés dits « à fort potentiel » seront désormais habilités à se faire faire des cartes de visite. Ne dites pas quels sont les critères qui définissent un salarié à fort potentiel. Vous allez assister à un déferlement de gens saisis d'un besoin urgent de se faire faire des cartes de visite, simplement pour savoir s'ils sont considérés comme des salariés « à fort potentiel » ou pas.

HARCÈLEMENT FAXUEL

Envoyez un fax à un collègue, non pas sur son numéro de fax, mais sur sa ligne téléphonique normale. Lorsqu'un fax ne passe pas du premier coup, la plupart des télécopieurs renouvellent l'essai un certain nombre de fois. Lorsque votre victime décrochera et entendra le hurlement suraigu typique des télécopies, elle réalisera qu'il n'y a rien à faire pour éviter les tentatives suivantes. Au quatrième appel, la plupart des victimes de ce canular se retireront dans un cabanon au fin fond du Massif central pour rédiger un pamphlet fustigeant la technologie.

Quant aux victimes plus crédules, celles qui viendront vous trouver pour se plaindre de « corbeaux » répétés, dites-leur d'écouter attentivement le signal du fax, en leur expliquant que parfois, en tendant bien l'oreille, on arrive à identifier le numéro de téléphone de l'émetteur de la télécopie. Expliquez qu'il y a de nombreuses similitudes entre le langage humain et le langage fax, mais que ce dernier est plus difficile à décrypter.

PETITE MUSIQUE D'ENNUI

Trouvez une de ces cartes d'anniversaire dotées d'une puce électronique qui joue et rejoue la même rengaine à l'infini. Extrayez-en la puce. Cousez-la sous le coussin du fauteuil de votre victime. Ou alors dissimulez-la au-dessus d'une des plaques du faux plafond, juste à la verticale de son bureau. La musique doit être suffisamment forte pour l'horripiler, mais suffisamment douce pour être difficile à localiser. On peut monter un canular similaire en substituant à la puce électronique un messager de poche (celui de la victime si possible).

DÉMENCE INCRÉMENTIELLE

Ce canular se décline à l'infini. L'idée maîtresse consiste à modifier chaque jour de façon imperceptible la place ou le réglage d'un élément de l'environnement de travail de votre victime. Ces modifications doivent être suffisamment minimes pour ne pas éveiller de soupçons sur le coup. Par exemple, baissez chaque jour d'un millimètre la hauteur du fauteuil de bureau de votre victime. La victime finira par avoir l'impression de rétrécir. Vous pourrez conforter ce sentiment en évoquant tout à fait incidemment un article dans lequel vous avez récemment appris que les gens sédentaires finissent par rapetisser. Recrutez des complices chargés de dire des trucs tels que : « C'est dingue, je t'imaginais avec des talons plus hauts. » Ou encore : « Cette chemise m'a l'air une taille trop grande pour toi. »

CANULAR DIT « DE LA CABINE DES W-C. »

Procurez-vous un vieux pantalon et une paire de chaussures, et bourrez-les de papier journal de façon à ce que, vu de l'extérieur, on ait l'impression que la cabine des W-C. choisie est occupée. L'idéal consiste à trouver exactement le même modèle de chaussures que celles que porte votre chef. Réalisez un long enregistrement de bruits d'extase non identifiés. Le résultat obtenu doit sonner comme une combinaison hétéroclite du genre de bruits qu'on fait quand…

▶ On se gratte le milieu du dos quand ça démange très fort.

▶ On savoure un excellent repas.

▶ On connaît l'extase lors d'une expérience sexuelle particulièrement intense.

Selon que votre tempérament merveilleusement juvénile est espiègle ou répugnant, rajoutez d'autres bruits inhabituels – au choix : cris d'animaux, chutes d'eau, vrombissements. Glissez la cassette dans un luxueux combiné stéréo, placez celui-ci à l'intérieur de la cabine aux faux pieds, et fermez la porte.

Une variation de ce canular consiste à en confier l'exécution à un collègue, puis à se rendre sur les lieux pour voler le luxueux combiné stéréo. Techniquement parlant, il s'agit alors plutôt d'un délit que d'un canular. Mais personne ne porte jamais plainte contre ce genre de délit.

AUTRE VERSION DU CANULAR DIT « DE LA CABINE DES W-C. »

De : [respect de l'anonymat]
À : scottadams@aol.com

J'ai un collègue qui, quoi qu'il arrive, est toujours le premier arrivé au bureau. Un matin, il s'est mis en tête de
trouver un pantalon et une paire de chaussures modèle
homme pour les placer de la façon « appropriée » dans
l'une des cabines W.-C., mais du côté femmes.

Pas mal de gens semblaient s'inquiéter de la chose, à
commencer par cette femme qui alla trouver notre DRH
et lui dit : « J'ai l'impression qu'il y a un homme, là-
bas dedans. Mais il ne doit franchement pas être bien,
parce qu'il y a passé la matinée entière. »

LE RÉFLEXE PAVLOVIEN APPLIQUÉ AUX COLLÈGUES

Entraîner ses collègues de la même façon que Pavlov entraî-
nait ses chiens, c'est possible. Au premier abord, on peut
émettre des doutes quant à l'intérêt de la chose. L'effet comique
n'en est pas moins garanti, comme en atteste ce rapport.

De : [respect de l'anonymat]
À : scottadams@aol.com

Je travaille comme vigile. Un jour, je suis revenu de
ma ronde cinq minutes plus tôt qu'à l'accoutumée. La
collègue en charge de la surveillance des portes me

demanda sur un ton suspicieux pourquoi j'étais rentré de ma ronde plus tôt, et elle m'accusa de ne pas avoir assuré ma ronde jusqu'au bout. Elle alla même jusqu'à appeler notre chef d'équipe pour se plaindre.

Je me suis dit qu'elle devait avoir pas mal de temps libre, et j'ai donc décidé de lui donner un petit coup de main pour s'occuper.

Son job consistait à surveiller les portes d'accès et à nous biper au central au moyen d'une petite télécommande. Le bip est strident et particulièrement irritant. Le central de la société de surveillance – où je suis en faction – est également équipé de bipeurs de sécurité. J'ai donc appuyé sur le bouton, juste pour l'irriter. Elle m'appela immédiatement et me demanda si quelqu'un était en train d'appuyer sur le bouton. Je répondis que non sur un ton innocent. Elle me demanda si je connaissais un moyen pour faire cesser l'alarme. Je lui suggérai d'ouvrir puis de refermer les portes, pour voir. Je la regardais s'exécuter sur l'écran du moniteur de contrôle. À chacune de ses tentatives, je déconnectais l'alarme pour lui faire croire qu'elle avait trouvé l'origine du problème. J'attendais un moment, et puis je redéclenchais l'alarme. Chaque fois, elle se relevait et allait exécuter la manœuvre avec succès.

Elle n'a jamais compris le truc. Elle passait son temps à aller ouvrir et refermer les portes, affichant une expression de suffisance sous prétexte qu'elle avait trouvé la solution au problème. Hélas, tous les autres étaient dans la combine, et j'ai bien peur qu'on ne l'ait pas prise pour une lumière bien éblouissante.

INVENTER DE CURIEUSES PROCÉDURES DE MOTIVATION

Si vous avez entendu parler de procédures bizarroïdes et assommantes dans d'autres entreprises, persuadez votre chef de les mettre en œuvre au sein de la vôtre. Ou, mieux, inventez vous-même une procédure bizarroïde et horripilante, et dites à votre chef qu'elle est appliquée par toutes les sociétés répertoriées dans le classement annuel du magazine *Fortune* des 500 entreprises les plus performantes. J'ai bien peur que l'entreprise ci-dessous n'ait fait les frais d'un tel canular.

De : [respect de l'anonymat]
À : scottadams@aol.com

La semaine dernière, j'ai reçu un e-mail émanant de notre chef de service. Ce message expliquait que, dans le cadre d'une politique interne visant à dynamiser le moral des salariés, le personnel aurait le privilège de pouvoir participer à un « jeu ». Afin de pouvoir y participer, chaque salarié se vit remettre un masque jaune fluo* marqué à son nom. Le but du jeu consistait à garder son masque jaune hilare pendant un mois entier. Quiconque y parviendrait se verrait octroyer huit heures de congés payés supplémentaires.

Il y a évidemment un truc. Le masque tombe sitôt qu'on est surpris en flagrant délit du moindre truc assimilé à une « Attitude non positive ». La définition exacte de

---

* NdT : Le fameux « *Smiley* », emblème des « *rave parties* » et de la transe techno, associé dans l'esprit du grand public à l'extase chimique et à l'insouciance extrême.

ce qu'est une « Attitude non positive » (ANP) n'est précisée nulle part. Le jugement peut être rendu par ce que les inventeurs appellent la « Police positive ». La Police positive est recrutée au sein du personnel par tirage au sort de noms dans un chapeau. Leur mission consiste à notifier à la direction toute activité pouvant être assimilée à une ANP.

Une fois tirés au sort, les membres de la Police positive ne révèlent leur identité qu'aux chefs.

Le plus beau, dans l'affaire, c'est qu'aucun membre de la direction n'a pu s'expliquer comment ce truc a pu avoir une incidence aussi négative sur notre attitude.

CONTRÔLER L'ÉVOLUTION DES PERFORMANCES DE SES COLLÈGUES

Si vos collègues n'assurent pas leur lot – et *a fortiori* pas le vôtre –, peut-être vous faudra-t-il évaluer le travail effectivement fourni, puis signaler leurs performances réelles. Leur motivation peut s'en trouver considérablement redressée.

De : [respect de l'anonymat]
À : scottadams@aol.com

J'ai eu deux ou trois collègues qui prenaient systématiquement des pauses interminables et quittaient le travail toujours tôt le soir. Avec la complicité d'un collègue, j'ai conçu un programme permettant d'établir

pour chacun un décompte horaire des plages effectivement travaillées, puis de le mettre en équation avec
les plages qui ne l'étaient pas. Ce logiciel nous per-
mettait également de contrôler leur ordinateur à distance. Quand la personne saisissait son mot de passe
le matin, une fenêtre apparaissait à l'écran pour lui
signaler l'heure exacte du début de session. De la
même façon, des messages lui notifiant le rapport
[plages travaillées/plages non travaillées] surgissaient
tout au long de la journée. Si tel ou tel jour le quota
horaire n'avait pas été assuré, l'individu avait beau
tenter de mettre fin à sa session, la machine s'y refusait obstinément. Si, d'aventure, il éteignait complètement son ordinateur, celui-ci lui refusait l'accès le lendemain matin (très agaçant).

Le support technique n'a jamais réussi à comprendre
comment le logiciel fonctionnait, ni comment désin-
fecter l'ordinateur. Chaque fin de semaine, le programme nous sortait un état établissant le rapport
[plages travaillées/plages non travaillées]. Et ça ne
ratait jamais, l'équilibre était systématiquement atteint.

6

Survivre aux réunions

L'une des agressions les plus préjudiciables à votre bonheur – sauf si vous travaillez seul – est un truc nommé « réunion ». Une réunion est essentiellement une assemblée de gens fixant obstinément des supports visuels jusqu'à extinction totale de l'activité électrochimique de leur cerveau, moment auquel les décisions se prennent. C'est un peu la même chose que quand on ne donne plus aucun signe de vie, à cette différence près que lorsqu'on ne donne plus aucun signe de vie, c'est rarement parce qu'on est installé sur un siège très inconfortable à prier le ciel pour être délivré de ce calvaire.

Si vous participez fréquemment à des réunions, vous allez vous étioler aussi vite qu'un sac de billets de banque tombé d'un fourgon blindé juste devant un abri pour sprinters olympiques sans domicile fixe. Mais, en réunion, l'ennui n'est pas forcément la règle pour tout le monde. L'exception, ce sont ces gens dont la vie privée est une désolation telle qu'il ne leur reste plus que les réunions pour s'offrir un succédané de relations humaines. Dans la mesure du possible, évitez ces gens-là soigneusement :

S'il vous est résolument impossible d'échapper aux réunions, apprenez à y trouver votre bonheur. Votre corps aura beau être totalement immobilisé des heures durant, cela ne vous empêche pas de former votre esprit à s'évader et à s'octroyer un peu de bon temps :

▶ ASSISTANTS NUMÉRIQUES PERSONNELS

Si vos collègues viennent en réunion munis de leur Palm-Pilot et autre assistants numériques personnels (ANP), munissez-vous d'un Game Boy et faites joujou également. S'il le faut, passez une couche de gris anthracite et maquillez le logo. Interrompez la réunion pour demander aux gens leur numéro de téléphone et leur adresse. Appuyez au hasard sur n'importe quelle touche de votre Game Boy pour simuler une mise en mémoire de données. Si quelqu'un vous propose de transférer les données de sa carte de visite électronique sur votre ANP via vos ports infrarouge, jouez le jeu. Orientez votre Game Boy dans la direction requise, puis lancez : « C'est dans la boîte ! » Lorsque vous entendrez la personne se plaindre qu'elle n'a réceptionné aucune donnée en provenance du vôtre, suggérez-lui de s'adresser au SAV de son ANP. Une fois que – par la magie de votre attitude de rat sans scrupules – votre crédibilité sera établie, vous pourrez joyeusement faire joujou avec votre Game Boy en attendant la fin de la réunion.

▶ SIMULATION DITE « DU ROBOT »

En réunion, ma technique préférée pour empêcher mon cerveau de se faire la malle en se creusant un tunnel dans ma boîte crânienne est un truc que j'appelle « la simulation du robot ». Le principe est le suivant : imaginez que votre corps est un gigantesque robot et que, vous, vous êtes un minuscule capitaine aux commandes dans le cockpit. Imaginez une salle des commandes de la taille du pont du vaisseau *Enterprise*. Les méga-écrans, c'est ce que voient vos yeux. Le moindre mouvement de votre colossal corps de robot devient une aventure extraordinaire. Vous entendez votre capitaine miniature distribuer ses ordres, style : « Rotation du cou, trente degrés à starbord ! » Et lorsque soudain votre cou exécute la manœuvre, c'est vraiment *top*. Le capitaine de ce robot infaillible, c'est vous, seul dans la salle des commandes en compagnie de la désirable et ambitieuse lieutenante Raquel (en fonction de votre inclination, choisissez une créature du sexe approprié). Une fois que les préliminaires sont engagés et que vous vous retrouvez en gaillarde posture sur le tableau de contrôle des frappes nucléaires, les possibilités du robot sont infinies.

▶ METTRE L'INTERVENANT DANS L'EMBARRAS

Si c'est l'un de vos collègues qui présente l'exposé, amusez-vous à lui poser des questions impossibles. Ne vous limitez pas à des questions sensées ou ayant un quelconque rapport avec le sujet. L'objectif de ce jeu est d'arriver à acculer le collègue dans ses derniers retranchements en présence d'un large public. Son visage devrait implorer votre clémence. En pleine présentation de budget, posez-lui par exemple une question de ce style :

« Reprenez-moi si je me trompe, mais dans la perspective d'une stratégie à long terme, et compte tenu du déficit budgétaire, le taux d'amortissement n'est-il pas un bon indicateur de la tendance à la baisse de l'EVA qu'anticipent nos projections ? »

Les yeux de votre collègue vont soudain ressembler à deux plats à tarte fichés l'un et l'autre d'une olive en leur milieu. Affichez une moue de mécontentement et lâchez : « Ce n'est pas grave. Je poserai la question à quelqu'un de bien informé. »

Un autre divertissement très rigolo consiste à soulever des questions visant à alourdir la charge de travail de l'intervenant. Engagez une compétition avec les gens présents autour de la table, et voyez lequel d'entre vous arrivera à générer la charge de travail la plus importante pour la victime, une fois son exposé terminé. Pour couper court à toute velléité de dérobade à la question soulevée, il est indispensable d'avoir l'air consciencieux et impliqué. Voici quelques exemples de questions valables dans quasiment tous les cas de figure. Chacune d'entre elles représente une charge de travail potentielle ridiculement disproportionnée ; et pourtant, on y croirait presque.

QUESTIONS AGAÇANTES

« Quelles seraient les répercussions sur les différents services de l'entreprise. Vous les avez consultés à ce sujet ? »

« Que donneraient les projections si vous faisiez – 5 % sur le truc dont vous étiez en train de parler, là ? Vous pourriez nous sortir une extrapolation d'ici la semaine prochaine ? »

« Pensez peut-être à réaliser un sketch détaillant votre plan, et produisez une vidéo que vous diffuserez à l'ensemble du personnel de l'entreprise. »

L'histoire ci-dessous est prétendument une histoire vraie, même si elle a tout l'air d'une légende urbaine. Dans tous les cas, voilà un sympathique canular à faire à un distributeur si vous arrivez à vous assurer la complicité de vos collègues.

De : [respect de l'anonymat]
À : scottadams@aol.com

Cette histoire s'est passée dans une grosse banque du Sud-Ouest. Un commercial était venu présenter un nouveau logiciel. Il installa un rétroprojecteur au-dessus de son ordinateur et demanda que quelqu'un éteigne les lumières de la salle de conférence. Personne ne bougea. Il se mit donc à chercher l'interrupteur, mais sans succès.

Quelqu'un finit par lui expliquer que l'entreprise avait fait remplacer les interrupteurs par des détecteurs de mouvement, sous prétexte que les gens laissaient toujours les lumières de la salle de conférence allumées.

Quand il demanda aux salariés comment ils faisaient pour les projections, il lui fut répondu qu'ils restaient « assis sans bouger » jusqu'à ce que les lumières s'éteignent d'elles-mêmes.

7

Diriger
ses collègues

Si vous avez l'infortune de travailler avec des collègues, vous devez impérativement apprendre à les diriger. Faute de quoi, tels des bêtes sauvages des plaines du Serengeti, ils viendront vous bousculer et boire vos réserves d'eau, le plus souvent en faisant voler un maximum de poussière. Votre bonheur pourrait en pâtir.

Puisque vous n'êtes pas officiellement investi de pouvoirs vous conférant une autorité sur vos collègues, il vous faudra avoir recours à d'autres formes de persuasion.

▶ FLATULENCES DE BUREAU

Si j'en crois les e-mails que m'adressent les gens qui sont sur le terrain, il y a un problème qui asphyxie chaque jour un peu plus l'Amérique des affaires, c'est celui des flatulences au bureau. Au palmarès des nuisances préjudiciables à la santé sur le lieu de travail, le problème des flatulences est même en passe de voler la première place à l'inhalation passive de fumée. Je n'ai eu écho d'aucune étude scientifique sérieuse portant sur les dangers de l'inhalation passive de flatulences, mais c'est un sujet sur lequel je ne saurais trop engager nos éminents universitaires à se pencher. Tout ce qu'on peut dire, c'est que les gens tombent comme des mouches. Mais mon propos n'est pas ici de vous parler des inconvénients des flatulences. Le sujet de ce livre est le bonheur par le travail.

Des dizaines de lecteurs de *Dilbert* ont relevé une constante semble-t-il inhérente au problème des flatulences de bureau : elles attireraient les visiteurs. Les gens m'écrivent pour me dire qu'il suffit qu'ils lâchent Mirza pour que, systématiquement, une innocente victime fasse irruption et pénètre dans leur cellule de travail. Il s'ensuit un moment de tension car le visiteur, bientôt conscient de la perturbation atmosphérique, tente de mener à bien sa transaction sans la moindre assistance d'oxygène. On pourrait hâtivement conclure à une situation pénible pour l'une et l'autre des parties en présence. Mais une observation plus attentive démontre clairement que l'une des deux parties cumule deux avantages : d'une part, un allégement de sa pression intestinale et, de l'autre, un temps de réunion nettement écourté par rapport aux standards habituels. En clair, cette partie-là gagne sur tous les tableaux. Le visiteur ne peut certes pas en dire autant. L'enseignement qui ressort de cette démonstration est le suivant : s'agissant de flatulences, mieux vaut être l'émetteur que le l'inhaleur.

À l'heure où j'écris ceci, je n'ai connaissance d'aucune entreprise interdisant aux flatuleurs masqués de gazer leurs collègues, du moins dans le cadre d'un règlement intérieur en bonne et due forme (révérence gardée, je dirais que le débat est ouvert). Des conventions internationales sont vraisemblablement applicables, mais elles sont rarement mises en vigueur.

▶ RÉGENTER

Efforcez-vous de mener vos collègues à la baguette. Confiez-leur des missions. Envoyez-les faire des recherches, faites-les rester plus tard le soir au bureau, ce genre de trucs. Le plus souvent, on vous opposera des jurons indignés. Mais un certain pourcentage d'individus, trop timides pour opposer la moindre résistance, s'exécuteront sans piper mot. À la limite, ils vous seront reconnaissants de donner sens et clarté à leur vie. Au début, faites preuve de mesure. Commandez-leur d'assumer leurs tâches sur un ton qui les grandira aux yeux de leur pairs. Priez-les instamment de suivre vos ordres ; dans leur esprit, obéissance servile et résultats gratifiants seront bientôt associés.

Une fois que vous les aurez conditionnés à suivre vos directives s'agissant de leurs propres attributions, commencez à « déléguer » votre travail. La transition doit se faire en douceur. Demandez-leur par exemple, lorsqu'ils se rendent à un autre étage, de vous déposer un truc au passage. Ou, puisqu'ils font route vers le copieur, de profiter de l'occasion pour vous faire deux ou trois copies. Ouvrez progressivement le répertoire des tâches à accomplir jusqu'à intégrer vos fonctions de base. Châtiez-les s'ils font passer leur propre travail avant le vôtre.

Si vous avez parmi vos collègues un individu qui vous ressemble vaguement, retouchez-lui le portrait jusqu'à obtenir une ressemblance frappante. L'idée est que l'on vous confonde avec ce collègue. Formez quelqu'un qui vous ressemble à faire votre travail à votre place, et vous n'aurez même plus besoin de faire acte de présence.

▶ ÊTRE RESPONSABLE DU DÉMÉNAGEMENT

Si un déménagement de votre service est dans l'air, proposez-vous comme responsable. Cela vous conférera tous pouvoirs sur l'épanouissement futur de vos collègues.

Dans les mois qui précéderont le déménagement, vos collègues se donneront un mal fou pour obtenir vos faveurs. Vous serez bombardé Grand Moghol des bureaux paysagers, personnage omnipotent organisant et réorganisant à votre guise le plan d'agencement définitif des sols, distribuant châtiments et récompenses aux uns et aux autres en fonction de leur attitude récente à votre égard. L'idée que cette mission puisse être menée à bien au détriment de vos fonctions de base ne doit pas vous tracasser. Pour vos fonctions de base, vous avez des esclaves. Sachez faire preuve de mansuétude à leur égard lors de l'attribution des cellules de travail, et ils se feront un plaisir de parer à vos manquements.

▶ GÉRER LES COLLÈGUES IRRATIONNELS

Rien n'est susceptible de nuire aussi efficacement à votre bonheur qu'une discussion avec un collègue qui tient des propos irrationnels. Même armé d'une logique implacable, vous n'arriverez jamais à rallier à votre cause des individus de cette espèce. Pas plus que vous n'arriverez à les convaincre d'entrer dans de vieux frigos abandonnés et de claquer la porte sur eux pour voir si la lumière s'éteint bien. On n'en trouve pas tant que ça, des vieux frigos déglingués. Et si vous utilisez celui de la salle de détente, vous allez avoir tout le service sur le dos sous prétexte qu'il n'y a plus de place pour ranger les yaourts. Tant qu'il n'y aura pas plus de frigos – ou moins de yaourts – en circulation, vous vous retrouverez enfermé dans d'assommantes discussions dont l'issue ne saurait être favorable.

Essayer de faire entendre raison à quelqu'un d'irrationnel, c'est un peu comme essayer d'apprendre à un chat à nager sous l'eau avec un tuba en lui donnant des cours par écrit. Vous aurez beau lui donner les instructions les plus claires du monde, cela ne marchera jamais. La stratégie la plus efficace, dans ce cas de figure, c'est de réduire au minimum le temps qu'on y consacre.

J'ai trouvé la solution à ce problème. Elle se fonde sur un fait très simple : les gens irrationnels sont prêts à gober n'importe quoi, à partir du moment où la chose a été publiée. Le support, le contexte ou la crédibilité de la publication importent peu. Une fois qu'un truc a acquis le prestige de la chose imprimée, il devient aussi digne de foi que n'importe quel autre truc imprimé. Par conséquent, je me suis dit que ce dont vous aviez besoin, c'est une publication justifiant n'importe laquelle de vos raisonnements. D'où ce livre.

J'ai rassemblé les arguments les plus couramment brandis par les gens irrationnels, pour les réunir dans un petit guide pratique intitulé « Vous avez tort parce que... » Entourez les arguments irrationnels s'appliquant au cas de figure auquel vous êtes confronté, et remettez-en une copie à l'individu qui vous saoule. Affichez un sourire suffisant, comme si ce document était une preuve irréfutable de votre bon droit. Un individu rationnel ne manquerait pas de vous signaler que toute chose imprimée n'a pas forcément valeur de vérité universelle. Mais ça n'a aucune espèce d'importance puisque, de toute façon, vous ne remettrez jamais cette liste à un individu faisant preuve d'un discernement aussi aigu. Ce qui est important, c'est que vous ayez le sentiment d'avoir classé une bonne fois pour toutes une affaire qui, virtuellement, aurait pu vous causer de nombreux déboires.

Vous avez tort parce que...

Par souci de commodité, j'ai entouré la (les) défaillance(s) du cerveau évoquant de la façon la plus frappante celle(s) dont vous avez fait preuve concernant le sujet suivant (noter ici le sujet) : _____ .

1. RAISONNEMENT TOTALEMENT OISEUX

Exemple : On peut dresser un chien à rapporter un bâton. Par conséquent, on peut dresser une pomme de terre à danser.

2. RAPPORT DE CAUSALITÉ ERRONÉ

Exemple : D'après mes observations, le port du pantalon bouffant vous grossit.

3. VOUS VOUS PRENEZ POUR LE NOMBRIL DU MONDE

Exemple : Je n'écoute pas de musique techno. Par conséquent, la musique techno n'est pas à la mode.

4. IGNORANCE TOTALE DES CONNAISSANCES SCIENTIFIQUES CONCERNANT LE CERVEAU HUMAIN

Exemple : On fait le choix de devenir obèse/gay/alcoolique parce qu'on aime bien le style de vie qui y est associé.

5. LA PARTIE ÉGALE LE TOUT

Exemple : Certains Elboniens militent en faveur des droits des animaux. Certains Elboniens portent des manteaux de fourrure. Par conséquent, tous les Elboniens sont des hypocrites.

6. VOUS PRENEZ VOTRE CAS POUR UNE GÉNÉRALITÉ

Exemple : Je suis un menteur. Par conséquent, je ne crois pas ce que vous dites.

7. ARGUMENTATION BASÉE SUR DE CURIEUSES DÉFINITIONS

Exemple : Cet individu n'est pas un délinquant. Il se livre à des agissements qui tombent sous le coup de la loi, c'est tout.

8. ABSENCE TOTALE DE COHÉRENCE LOGIQUE

Exemple : J'aime les pâtes parce que j'habite une maison en brique.

9. OPINION ARRÊTÉE SANS EXAMEN PRÉALABLE DES ALTERNATIVES

Exemple : Je n'investis pas dans les bons du Trésor à court terme. Trop risqué.

10. LES CHOSES AUXQUELLES ON NE COMPREND RIEN ONT TOUJOURS L'AIR FACILE

Exemple : Du moment que vous avez les outils qu'il faut, réaliser une fission nucléaire à domicile est un jeu d'enfant..

11. IGNORANCE DES STATISTIQUES

Exemple : La cagnotte du Super Loto est tellement grosse cette semaine que je parie TOUT mon argent.

12. IGNORANCE DES RISQUES INHÉRENTS

Exemple : Je sais que je risque ma peau chaque fois que je saute à l'élastique, mais qu'est-ce que je m'amuse pendant trois secondes !

13. SUBSTITUTION DE CITATIONS AU BON SENS ÉLÉMENTAIRE

Exemple : Souvenez-vous que « Tout vient à point à qui sait attendre ». Alors pourquoi se fatiguer à rechercher un emploi ?

14. COMPARAISON SANS RAPPORT AVEC LA QUESTION

Exemple : Six cents francs pour un grille-pain, c'est plutôt bon marché, comparé au prix d'une Ferrari.

15. RAISONNEMENT CIRCULAIRE

Exemple : J'ai raison parce que je suis plus intelligent que vous. Et je suis forcément plus intelligent que vous, puisque j'ai raison.

16. DÉFAILLANCE DUE À UNE DÉFINITION APPROXIMATIVE

Exemple : Votre théorie de la pesanteur n'aborde pas le problème de la non-existence des licornes. Par conséquent, elle est erronée.

17. IGNORANCE DE L'AVIS DES EXPERTS SANS RAISON VALABLE

Exemple : Bien sûr, les experts déconseillent formellement de faire du vélo dans l'œil d'un cyclone. Mais j'ai ma propre théorie à ce sujet.

18. SUIVI DU CONSEIL D'ABRUTIS NOTOIRES

Exemple : Oncle Bernard dit que manger du porc rend intelligent. S'il le dit, moi, je le crois !

19. CONCLUSIONS CURIEUSES FONDÉES SANS INFORMATION

Exemple : La voiture refuse de démarrer. Je suis sûr que des clowns en cavale m'ont volé mes bougies.

20. DÉFAILLANCE DANS LA RECONNAISSANCE D'UN SCÉNARIO HABITUEL

Exemple : Ses six dernières femmes ont été mystérieusement assassinées. J'espère être sa septième épouse.

21. DÉFAILLANCE DANS LA HIÉRARCHISATION DES PRIORITÉS

Exemple : Ma maison brûle ! Vite, appelez le bureau de poste et dites-leur de me mettre mon courrier de côté !

22. MÉCONNAISSANCE DU CONCEPT DES PROFITS ET PERTES

Exemple : Nous avons investi des millions dans le développement d'une échasse sauteuse hydraulique. Si nous arrêtons d'investir, nous allons tout perdre.

23. APPLICATION ABUSIVE DU RASOIR D'OCKHAM* (EN VERTU DUQUEL L'EXPLICATION LA PLUS SIMPLE EST GÉNÉRALEMENT LA BONNE)

Exemple : L'explication la plus simple aux alunissages, c'est que c'étaient des canulars.

---

* Ndt : Guillaume d'Ockham, logicien anglais né vers 1285-1290, maître du nominalisme médiéval, auteur de *Summa Totius Logicae* (*La Somme de logique*).

24. IGNORANCE TOTALE DES FAITS

Exemple : Chaque fois que je mange des fraises, j'attrape de l'urticaire. Mais, en l'absence d'une expérience réalisée sous contrôle scientifique, ces données restent des hypothèses. Par conséquent, en attendant de savoir si ce sont bien les fraises qui déclenchent mon urticaire, je continue à en manger tous les jours.

25. INCAPACITÉ À SAISIR QU'UN MÊME EFFET PEUT AVOIR DES CAUSES MULTIPLES

Exemple : Les Beatles ont eu énormément de succès pour une simple et unique raison : ils chantaient bien.

26. JUGEMENT DU TOUT FONDÉ SUR L'EXAMEN EXCLUSIF D'UNE COMPOSANTE

Exemple : Le soleil provoque des brûlures de la peau. Par conséquent, la planète se porterait mieux sans le soleil.

27. ENFONCEMENT DE PORTES OUVERTES

Exemple : Si tout le monde avait de l'argent, la pauvreté pourrait être éliminée.

28. UN MAUVAIS OUVRIER A TOUJOURS DE MAUVAIS OUTILS

Exemple : Je me suis payé une encyclopédie, mais je suis toujours aussi demeuré. Par conséquent, c'est une mauvaise encyclopédie.

29. HALLUCINATIONS

Exemple : Je tiens mes informations d'un arbre doté de parole.

30. RAISONNEMENT ABUSIVEMENT POUSSÉ

Exemple : Si vous laissez votre coiffeur vous couper les cheveux, ne vous étonnez pas si, la fois d'après, il vous ampute un membre !

31. INCAPACITÉ À SAISIR POURQUOI UNE RÈGLE NE SOUFFRE PAS D'EXCEPTION

Exemple : On devrait légaliser le vol à l'étalage, à partir du moment où la valeur de la marchandise volée ne met pas en péril les résultats d'exploitation de l'entreprise.

32. PREUVE PAR ABSENCE DE PREUVE

Exemple : Je ne vous ai jamais vu en état d'ébriété. Par conséquent, vous devez sûrement être un Témoin de Jéhovah.

8

Retrouver l'humour et la créativité dans le travail

Je me suis laissé dire que, dès la maternelle, nos enfants excellent en chant, en danse et en peinture. Mais, vous l'aurez sans doute remarqué, cette règle ne s'applique qu'à nos propres enfants. Les enfants des autres font de vagues gribouillis, nous cassent les oreilles et s'agitent dans tous les sens. Du reste, si les œuvres de votre progéniture ne sont pas exposées au Louvre, c'est selon toute probabilité ce parasitage qui en est la cause.

Pour autant que je puisse en juger, rares sont ceux d'entre nous qui démarrent dans la vie dotés de talents créatifs. Et les choses ne font que péricliter ensuite. De fait, la vie n'est rien d'autre qu'un formidable processus visant à éradiquer en nous toute trace de créativité, dans le but d'augmenter notre employabilité. Au moment où l'on fait son entrée dans le monde du travail, on est quasiment stérilisé. L'employeur prend alors le relais.

Il est indéniable que l'éradication de toute créativité chez le travailleur trouve ses justifications économiques. Personnellement, en tant que consommateur, je ne souhaite pas que mon médecin soit par trop créatif avec moi. Je lui demande simplement de me donner le même truc que celui qui a guéri le patient précédent. La dernière chose qu'on ait envie d'entendre de la bouche de son médecin, c'est un truc du genre : « Hé! Et si on essayait de mettre ce machin là-dedans, pour voir? »

De la même façon, quand je monte à bord d'un avion, j'aime autant que le pilote jugule ses pulsions créatrices.

Le contrôleur aérien :	Vol n° 399, atterrissage piste 3.
Le pilote créatif :	Je la prends chaque fois, la 3. J'ai bien envie de me poser sur le toit du terminal, pour changer.
Le contrôleur aérien :	Redressez! Redressez!

Idem en ce qui concerne la police. Je n'ai guère envie de me faire arrêter pour excès de vitesse et d'avoir à gérer des envies créatrices.

Le gendarme :	D'après le code pénal, je suis censé verbaliser, pour ce type d'infraction. Mais soyons créatifs, je préfère.
Moi :	Euh… Qu'est-ce que vous entendez par là?
Le gendarme :	Lutte gréco-romaine.

Il est clair qu'une créativité mal canalisée peut avoir des effets désastreux. Le problème, avec le système d'éradication de la créativité que nous avons mis en place à l'échelle planétaire, c'est qu'il a des conséquences imprévues. Tout système éliminant la créativité négative élimine également la créativité positive. Et, sans créativité, pas de bonheur possible. Le but du chapitre qui va suivre est de vous enseigner ma méthode spéciale permettant de développer son humour et ses talents créatifs au travail. Il s'agit pour la plupart de trucs pratiques.

J'ai traité humour et créativité dans un seul et même chapitre pour une raison bien simple, c'est que, pour s'amuser, il est indispensable d'être créatif. Je ne vous cacherai pas qu'une imagination créatrice fertile ouvre également bien d'autres horizons, mais nous nous en tiendrons ici à l'humour.

▶ NAISSANCE DE L'ÉNERGIE CRÉATRICE

Je ne sais pas si l'on peut en tirer une loi universelle, mais voici comment se décompose ma créativité personnelle : 80 % de techniques élaborées, 10 % de tares génétiques (catégorie « bonnes tares ») et 10 % d'inhalation passive de fumée.

Si votre croissance n'a pas bénéficié d'une longue inhalation passive de fumée, il n'est pas trop tard pour bien faire. Pour rattraper le temps perdu, je recommanderais d'écumer les bars ou de voyager en Europe.

Si vous n'êtes pas majeur et que vos parents vous interdisent la fréquentation des bars – ou celle de l'Europe –, il ne vous reste plus qu'à aller traîner avec des racailles. Si vous n'en avez pas dans vos relations, il se trouve que je loue mes services d'ami invisible aux adolescents trop peu populaires pour arriver à s'en faire un gratuitement tout seul. Mais c'est là une branche distincte de mon activité. Adressez-moi simplement un e-mail si vous êtes intéressé.

Pour l'heure, je m'en tiendrai au segment du processus de création constitué à 80 % par mes techniques élaborées. C'est sur ce segment-là que je vous serai le plus utile. Le sous-chapitre suivant sera consacré aux techniques permettant de libérer des plages horaires propices à la créativité. Plus loin, dans la partie traitant de l'humour, je développerai plus spécifiquement les techniques permettant de développer cette créativité.

▶ LIBÉRER SA CRÉATIVITÉ, PAS AMÉNAGER SON TEMPS DE TRAVAIL

L'énergie créatrice peut se manifester sous les formes les plus diverses. On peut faire preuve de créativité en développant une idée commerciale, en concevant un logiciel, en élaborant une procédure ou n'importe quel autre truc. La plupart des adultes prétendent manquer de temps pour libérer leur créativité. Ma théorie est tout autre : ce n'est pas le temps qui fait défaut, c'est l'approche du problème qui est erronée.

Répondez à ce petit test pour voir si vous saisissez bien les compensations auxquelles ouvre droit un sain aménagement de son temps de travail :

Aménagez-vous bien votre temps de travail ?

Vous travaillez en équipe sur un projet.
Vous êtes le premier à finir votre partie.
On vous récompense par :

a. Une gratification exceptionnelle
b. Une reconnaissance laissant augurer d'une promotion ultérieure
c. Un alourdissement de votre charge de travail

Aménager son temps de travail, c'est le plus sûr moyen d'être chroniquement malheureux.

Le concept de « réduction du temps de travail » était parfaitement adapté aux emplois du temps jadis, comme par exemple celui dont le répertoire des tâches consistait, chez les primates*, à venir se chercher des poux dans la tête. Plus vous vous investissiez dans le temps, plus vous en trouviez. C'est de la mathématique élémentaire, même pour un primate. L'option créative – le nettoyage à sec haute pression – était considéré peu pratique, dans la mesure où le royaume des primates ne s'est jamais doté de l'électricité. Il est vrai que, pour un primate, le temps passé à piloter une mission compte plus que le degré de créativité dont fait preuve l'opérationnel missionné. Mais brisons là avec les primates (c'est si mignon, ces petites bêtes, que j'ai un peu tendance à m'égarer).

Si vous travaillez dans un bureau, la stratégie la plus efficace consiste non pas à « aménager votre temps de travail », mais à libérer votre énergie créatrice. Ceux qui libèrent leur énergie créatrice s'enrichissent et s'épanouissent. Ceux qui aménagent leur temps de travail s'usent et s'aigrissent.

---

* Par souci de rester politiquement correct, puisque tel ou tel créatif ne manquera pas de se formaliser de notre allusion larvée à la théorie de l'Évolution, précisons que ceux qui le désirent peuvent substituer le mot « apôtre » à celui de « primate », sans que l'efficacité de l'argumentation n'en soit altérée.

Demandez-vous lequel de ces deux grands titres est le plus susceptible de paraître un jour :

a. UN FORÇAT DES BUREAUX PAYSAGERS DEVIENT MILLIONNAIRE À LA SUITE D'UN CONSCIENCIEUX AMÉNAGEMENT DE SON TEMPS DE TRAVAIL

ou bien...

b. LE PAPE SE DÉCLARE « PLUTÔT FAVORABLE À LA VIOLENCE », DANS LA MESURE OÙ ELLE EST JUS-TIFIÉE

Le meilleur moyen de piloter judicieusement sa carrière, c'est de mettre en parallèle la stratégie pour laquelle on a opté avec la probabilité que le pape se prononce un jour en faveur de la violence. Si les probabilités de réussite de la stratégie mise en œuvre se situent dans la même fourchette, changez de stratégie.

Planifier le moindre de nos faits et gestes, c'est jouer un jeu dangereux. Quand une idée susceptible de changer la face du monde surgit, elle surgit en un éclair, et sans pré-venir. L'esprit créatif frappe vite. Méditez donc sur cette petite histoire :

Il était une fois... L'Énergie créatrice

Quelque part dans l'infinie désolation d'un univers de cellules de travail, de copieurs et de salles de réunion, une idée est sur le point de naître. Ce n'est encore que l'essence d'une idée, scintillant entre existence et non-exis-tence, attendant la combinaison parfaite d'énergie et de matière pour prendre forme et circuler. Tapie hors du champ de vision des humains qui habitent là, patiente, aux aguets, elle s'avance, titille l'inconscient collectif, puis se rétracte – à la manière d'un nom qu'on aurait sur le bout de la langue, ou d'un parfum depuis longtemps oublié. Sans masse ni résistance, elle évolue en dehors du champ de la réalité. Pourtant, sans qu'on sache vraiment pourquoi, elle dialogue avec cette réalité. Force mystérieuse surgissant conformément à un planning ignoré de tous, elle attend l'instant magique. Lentement, le champ de probabilité se rétrécit. Matière et énergie alignent leurs polarités dans une configuration parfaite. Captant l'appel, l'idée commence une brutale métamorphose qui l'arrachera au néant pour la projeter dans l'existence. Une étincelle de vie jaillit, minuscule, vacillante, et suspend son vol à la verticale de la moquette. Avec le temps, et nourrie du juste dosage d'espoir, de rêves et de prise de risques, elle peut connaître une croissance telle que la face du monde en sera changée.

Mais soudain, surgissant de nulle part, le livreur de papier déboule avec son gros chariot et l'écrabouille. C'est une tragédie dont nul ne connaîtra jamais l'ampleur, car il livre justement les feuilles perforées que vos collègues indélicats feront exprès d'oublier dans le copieur pour vous piéger.

Comme cette petite histoire inspirée le montre clairement, libérer sa créativité prend peu de temps. En revanche, cela pompe une énergie considérable. Se montrer créatif quand on est épuisé ou qu'on a la gueule de bois est exclu. Libérer sa créativité exige de dégager des plages de liberté dans son horaire ; peu importent les priorités latentes. Pour se recharger en énergie créatrice, il est indispensable de se ménager du temps libre.

Mon conseil présente évidemment une faille notoire, c'est que, si l'on organise sa vie en se fixant comme objectif d'optimiser sa créativité au maximum, on a vite fait de ressembler à un gros goret paresseux. Tant qu'à faire, on n'a plus qu'à se coller une pomme d'api dans la bouche, à étendre un peu de fourrage dans sa cellule de travail, et à se vautrer dedans les jambes écartées et les bras en croix pour piquer un roupillon... Toutefois, suivez les conseils élémentaires dispensés ci-après, et vous échapperez aux métaphores désobligeantes empruntées au règne animal dans toute sa fascinante diversité. Ces conseils vous enseigneront l'art subtil de libérer votre créativité, tout en faisant figure de demeuré tout juste bon à aménager son temps de travail.

S'il est vrai que l'obsession du temps de travail aménagé mène à une impasse, un minimum de discipline en ce domaine reste néanmoins requis. Quelque part, aménagement du temps de travail et libération de la créativité sont deux notions qui se recoupent. La règle de base, c'est que, lorsque l'on est obligé de choisir entre les deux – cas de figure fréquent –, il faut donner la priorité à la créativité. C'est là que vos efforts seront récompensés.

Voici une histoire authentique qui montre comment la direction des ressources humaines d'une entreprise a recours à la technologie pour optimiser sa gestion :

De : [respect de l'anonymat]
À : scottadams@aol.com

Moi qui ai toujours eu le sentiment que le service des ressources humaines n'était qu'un ramassis de demeurés, je n'en suis plus si sûr aujourd'hui.
À la suite de notre dernière Foire à la réorganisation semestrielle, je suis tombé sur le nom de mon nouveau DRH tout à fait par hasard (enfin, je me comprends : il

était dans la corbeille à papier de mon chef, presque en surface, ou en tout cas juste en-dessous ; disons que ç'aurait été difficile de ne pas le voir). J'ai donc décidé de lui téléphoner, histoire de me présenter, et j'ai appelé le standard pour m'enquérir de son numéro de poste.

Moi :	Je voudrais le numéro de poste de Laure Lésienne, aux Ressources humaines, je vous prie.
La standardiste :	Je regrette, ce nom ne figure pas sur nos listes.
Moi :	Je ne vous demande pas son numéro personnel, je vous demande simplement son numéro de poste.
La standardiste :	Oui, mais ce nom ne figure pas sur nos listes.
Moi :	Je travaille ici. C'est ma DRH. Il faut que je lui parle.
La standardiste :	Je regrette.
Moi :	Vous ne voulez pas que je parle à ma DRH, c'est ça ?
La standardiste :	Écoutez, si elle vous appelle, vous faites ce que vous voulez, mais, moi, je ne peux pas vous donner son numéro. Je regrette. (Clic.)

Sans me démonter, j'ai dirigé mes pas vers l'endroit où – à en croire les dernières rumeurs – les Ressources humaines avaient installé leur nouveaux quartiers. Je me suis trouvé devant porte close (à 10 heures du matin), porte sur laquelle était scotchée une liste de 800 numéros.

J'ai recopié celui de la ligne « Pour tous renseignements », et j'ai regagné mon poste de travail. J'ai composé le numéro et choisi l'option n° 1, laquelle proposait quatre nouvelles options. La première de ces quatre nouvelles options en offrait à son tour trois autres. J'ai renouvelé ma tentative en tapant l'option n° 1 : j'ai été coupé. J'ai rappelé, orientant cette fois mon choix sur l'option 1-1-2 : j'ai à nouveau été coupé. Pas désarçonné pour autant, j'ai essayé chacune des options, une à une. Chaque fois, j'étais coupé.

Conclusion : mon entreprise – répertoriée dans le classement annuel des « 500 entreprises les plus performantes » du magazine *Fortune* – a un service des ressources humaines dont le staff au grand complet est sur liste rouge, et dont le numéro « d'assistance » laisse le soin à un robot de systématiquement vous raccrocher au nez. De fait, tout laisse à penser que nos Ressources « humaines » sont en réalité des Ressources « inhumaines ». J'imagine qu'ils sont tous en séminaire dans je ne sais quelle station balnéaire ou de sports d'hiver, écroulés de rire...

Qu'importe le poste que vous occupez, il y aura toujours plus de tâches à accomplir que d'heures dans une journée de travail. Les gens qui aménagent leur temps de travail ne supportent pas le moindre trou dans leur éphéméride. Sitôt qu'ils en identifient un, ils le comblent dans le temps record que mettrait une vache normande pour remplir à ras bord un gobelet de bureau.

À l'inverse, ceux qui libèrent leur énergie créatrice font en sorte de se dégager des créneaux dans le courant de la journée, aux heures qui sont pour eux les plus fertiles. Le plus souvent en deuxième partie de soirée ou tôt le matin. Mais quand on fait de longues journées, on est parfois trop fatigué pour se montrer très productif le soir venu. Si l'on procède par élimination, il nous reste le matin tôt.

Libérez votre énergie créatrice le matin. Je vous suggère d'éviter toute réunion ou tout coup de téléphone avant 9 heures.

L'après-midi, si votre cerveau est normalement constitué, il tourne exclusivement sur les automatismes et la force d'inertie. Les seules opérations qu'on soit capable d'exécuter à des heures pareilles sont des choses qu'on a déjà faites des centaines de fois dans un contexte rigoureusement similaire. Faire preuve de créativité est tout simplement exclu. Vous allez me dire qu'on ne fait aucune différence. C'est normal : sitôt passée l'heure du déjeuner, on est tellement anesthésié qu'on ne remarque plus rien du tout. C'est vrai pour moi, en tout cas. On peut me mettre le feu aux sourcils l'après-midi, il faudra attendre le lendemain – disons dans le courant de la matinée – pour que je m'en rende compte.

De fait, je programme systématiquement mes activités non créatives l'après-midi. Aujourd'hui, par exemple, j'ai rendez-vous avec deux contacts importants. Aucun ordre du jour n'est arrêté. L'unique ordre du jour, c'est de se rencontrer, histoire de personnaliser les relations, j'imagine. L'idée, c'est que la prochaine fois qu'on se parlera au téléphone, on pourra mettre un visage sur un nom. La vidéoconférence du pauvre, en quelque sorte.

Le conseil du créatif :

Quand vous vous représentez les gens – dans la mesure où vous les imaginez habillés – visualisez-les toujours en jupe-culotte blanche. De cette manière, vous ne gaspillerez pas inutilement votre mémoire vive pour des histoires de garde-robe. Utilisez plutôt l'excédent de mémoire vive pour stocker des trucs plus créatifs. Mi-pantalon, mi-jupe, la jupe-culotte s'adapte en effet à tous les sexes. Pas besoin de risquer de saturer votre disque avec des histoires de rayon hommes/rayon femmes. La seule exception à la règle de la jupe-culotte concerne le troisième âge. Personne n'a envie de voir leurs jambes maigrelettes, alors soyez gentil, mettez-leur un pantalon de jogging bleu.

La réunion d'aujourd'hui est prévue à 14 heures, heure précise à laquelle mon cerveau est programmé pour automatiquement mettre hors circuit tout système ne contrôlant pas des fonctions purement physiologiques. Si l'on me soumettait à un test de Turing*, j'échouerais. Je doute que ma conversation soit considérée comme « pétillante ». Voici comment les choses vont probablement se dérouler :

Moi :	Bonjour. Enchanté.
Les convives :	Bonjour. Enchanté.
Moi :	Donc, vous êtes mariés depuis long-temps, tous les deux ?

---

* Le test de Turing permet de déterminer si un ordinateur est capable de faire preuve d'une intelligence en tous points similaire à l'intelligence humaine. À ce jour, aucun ordinateur n'a encore relevé le défi. Pour une raison toute simple, c'est que personne n'a jamais conçu de logiciel programmant un ordinateur à passer ses journées à se plaindre de son travail.

Les convives :	Euh… C'est à dire que, non, nous ne sommes pas mariés. Nous travaillons ensemble.
Moi :	Dommage. Vous feriez un joli couple. Vous désirez une boisson ?

Et de là, les choses iront en se gâtant.

MULTIFONCTIONNALITÉ

Une technique efficace pour se dégager plus de temps libre consiste à conjuguer des tâches d'un ennui féroce (ex. : vos tâches quotidiennes) à des tâches d'une créativité fascinante (ex. : tramer en vue d'un prochain emploi pépère). Appelons cette procédure « multifonctionnalité créative », ça lui donnera de l'importance.

La multifonctionnalité créative donne des résultats fantastiques, parce que créativité et ennui marchent de pair, exactement comme le sel et les frites. On imagine mal quelqu'un dire : « Non merci, pas de frites, j'ai déjà pris du sel. » Plus on a de l'un, plus on redemande de l'autre. Le schéma sera le même au travail si vous faites preuve de discernement en vous fixant vos objectifs. Plus vous arriverez à encaisser l'ennui, plus votre esprit sera disponible pour des trucs intéressants. Inversement, plus vous exercerez votre imagination créatrice, plus vous serez à même d'apprécier les trucs assommants qui se présenteront, juste histoire de donner des vacances à votre cerveau.

Ne commettez jamais l'erreur d'un cumul de tâches qui combinerait une activité assommante et une autre activité assommante. Inconsciemment, votre cerveau associerait cette surdose d'ennui à un vieillissement prématuré et vous déclencherait une pousse accélérée de poils dans les oreilles. Ne cumulez jamais non plus deux tâches créatives – genre tricot et danse classique. Là, ce serait vraiment aller au-devant des ennuis. Dès lors que vous envisagez un cumul de tâches, faites preuve de discernement dans le choix des tâches à cumuler.

Si vous êtes assujetti à la cellule de travail, la composante « ennui » de l'équation est déjà assurée. Optez pour des activités créatives susceptibles d'être intégrées à vos tâches habituelles sans éveiller le moindre soupçon. Si vous passez beaucoup de temps au téléphone, par exemple, libérez votre énergie créatrice en démarrant une petite entreprise de téléphone rose. Vous n'éveillerez aucun soupçon auprès de votre clientèle si vous glissez l'une ou l'autre phrase du monde des affaires, du genre : « Mobilisez-vous pour vous investir pleinement dans votre *task force* ! » ou « Optimisez les performances de vos opérationnels ! » Ceux du bureau qui laissent traîner leurs oreilles penseront juste que vous utilisez un langage de charretier pour vous la jouer top-manager. Aucun plan de carrière n'a jamais pâti de la chose. Et si, ironie du sort, vous deviez vous retrouver en ligne rose avec votre supérieur hiérarchique, les résultats de votre prochain entretien d'évaluation devraient s'en trouver considérablement améliorés.

Si les trucs cochons ne sont pas votre tasse de thé, essayez d'écrire un roman depuis votre cellule de travail. Procédez paragraphe par paragraphe, en vous servant de votre logiciel de courrier électronique. Envoyez les parties rédigées au fur et à mesure à votre adresse e-mail personnelle, en vue d'un assemblage ultérieur. Si quelqu'un vient regarder par-dessus votre épaule, tout laisse à penser que vous êtes en train de rédiger un message électronique rapide. Si votre disque dur est soumis à un audit, aucune trace d'activité extra-professionnelle ne peut être détectée. Plusieurs personnes m'ont rapporté avoir ainsi entamé la rédaction de leur premier livre. (Authentique)

Voici l'histoire d'un individu qui a failli réussir à cumuler deux tâches assommantes, mais qui a finalement essuyé un échec. Chacun de nous pourra en tirer un enseignement.

De : [respect de l'anonymat]
À : scottadams@aol.com

Voici l'histoire authentique d'un analyste-programmeur qui louait ses services de consultant chez [nom de l'entreprise], à New York.

Un jour, ce consultant s'est présenté à un entretien d'embauche mené par un manager au premier étage de l'immeuble de l'entreprise. Il accepta le poste. Quelque jours se passèrent et le second cabinet avec lequel il travaillait l'envoya se présenter à un entretien d'embauche mené par un autre manager de la même entreprise, dans le même immeuble, mais cette fois au troisième étage. Il accepta le poste également.

Pendant six mois, sans que personne ne se doute de rien, il réussit à assurer ses deux temps pleins, sur la tranche 8 h – 17 h. Il arrivait avant tout le monde, vers 7 h 45, et prenait son premier job. Puis, vers 10 heures, il descendait les escaliers et gagnait son second poste, où tout le monde était persuadé que c'était l'un de ces programmeurs préférant travailler en décalé.

Bien qu'assurant tout juste une prestation totale de 8 heures par jour, il réussissait à leur en facturer 16, chacun des services étant convaincu qu'il s'était doté d'un consultant à temps plein.

Cette histoire est absolument authentique, car, le héros ayant été licencié quelques semaines à peine avant que je n'intègre ladite entreprise, elle m'a été racontée à plusieurs reprises à l'heure du déjeuner par des salariés encore sous le choc. Plus tard, j'ai recoupé l'information en interrogeant d'autres individus, qui me confirmèrent que les choses s'étaient bien passées ainsi.

Il se fit cravater un jour qu'une personne qui travaillait au premier se rendit au troisième et le surprit en plein boulot.

Mon conseil : Si l'occasion de faire semblant d'assurer deux temps pleins dans le même immeuble se présentait un jour à vous, brouillez les pistes en vous félicitant auprès de tous d'avoir la chance de travailler dans les mêmes murs que votre jumeau/jumelle.

PRENDRE UN AIR DÉ-BOR-DÉ !

Le secret, pour dégager de formidables plages de liberté dans son quota horaire, consiste à donner l'impression, quand on s'absente de sa cellule de travail ou de son bureau, qu'on va être de retour incessamment. Les plages dégagées peuvent être exploitées pour concevoir d'intéressants concepts, pour suivre des formations édifiantes, ou tout simplement pour partir en vacances. Suivez de près votre messagerie électronique ainsi que votre boîte vocale, et rares seront les petits malins qui pourront vous percer à jour.

Pour donner à votre cellule de travail ce look « De retour dans cinq minutes », combinez les stratagèmes suivants :

1. Laissez une veste de rechange pendue à votre porte-manteau. Personne ne rentre à la maison sans sa veste.

2. Démarrez votre ordinateur. (N'oubliez pas d'en protéger l'accès par un mot de passe ; vous vous épargnerez ainsi l'humiliation d'être la victime d'un des canulars détaillés plus haut dans ce livre.)

3. Ouvrez le manuel d'utilisation d'un logiciel informatique à un chapitre particulièrement épineux.

4. Si vous portez des lunettes (mais pas en permanence), posez-en une vieille paire sur la notice technique, comme si vous veniez de les enlever de votre nez. Si vous n'en portez pas, faites-vous-en prescrire.

Trouvez un lieu tranquille pour libérer votre énergie créatrice et vous dérober à vos fonctions. Si vous allez au travail en voiture, installez-vous dans le parking au volant de votre véhicule. C'est en quelque sorte un bureau privatif, la chaîne stéréo en plus. Si vous avez un téléphone portable, vous pourrez interroger votre boîte vocale depuis votre planque et, le cas échéant, vous tenir prêt à bondir dans l'action.

Ceux d'entre vous qui sont prêts à faire un investissement sérieux pour se soustraire à leurs tâches installeront leur domicile à proximité de leur lieu de travail. Une fois votre cellule de travail convenablement « mise en scène », regagnez vos pénates et savourez paisiblement votre brunch. Regagnez votre poste de travail juste avant l'heure du déjeuner. Tandis que tous les autres partiront se sustenter, plaignez-vous d'être trop débordé pour pouvoir en faire autant. Voilà qui constituera une « interface » suffisamment longue pour la journée. Une fois que tout le monde sera parti déjeuner, installez-vous dans votre cellule de travail et naviguez sur le web en toute quiétude, libéré du travail en équipe et autre missions qui, d'ordinaire, nuisent à votre concentration.

De : [respect de l'anonymat]
À : scottadams@aol.com

Voici une méthode de « simulation de travail » que j'applique pratiquement chaque jour. Elle n'a rien de particulièrement drôle, mais elle est TRÈS probante.

Sur mon bureau sont posés deux ordinateurs, un portable et un gros PC. L'un et l'autre sont placés de telle sorte que leur arrière fait face à la porte d'entrée. Je laisse toujours la porte grande ouverte, de façon à ce que personne ne puisse penser que j'ai quelque chose à cacher, ou que je tire au flanc. Sur mon portable, un moteur de recherche Internet tourne en permanence. Pareil pour mon gros PC mais, là, c'est mon logiciel de messagerie électronique. Sitôt que j'entends des pas se diriger vers moi, calé dans mon fauteuil, je roule frénétiquement d'un ordinateur à l'autre, une expression contrariée sur le visage. L'intrus demande alors (ça marche à tous les coups) si le moment est bien choisi. Je marque une halte entre les deux ordinateurs et, les yeux sautant nerveusement d'un écran à l'autre, je lâche : « Euh… non. C'est urgent ? »

Le plus souvent, l'individu en conclut que le moment est mal choisi et dispose promptement. Mais il arrive que tel ou tel visiteur indélicat insiste pour entrer et s'incruste dans mon bureau. Le cas échéant, je regarde la personne droit dans les yeux, j'écoute un instant ce qu'elle a à dire et soudain, je roule jusqu'à l'un des ordinateurs, j'enfonce deux trois touches, et je grommelle un vague truc. Là, je replonge mon regard dans les yeux de la personne comme si de rien n'était. Neuf fois sur dix, les gens sont mal à l'aise et s'en vont.

De : [respect de l'anonymat]
À : scottadams@aol.com

J'ai conçu un logiciel qui fait apparaître à l'écran une fenêtre de dialogue qui dit « Compression en cours ! Ne pas toucher ! » Une barre d'état balaie cette fenêtre en permanence, de telle sorte qu'on a vraiment l'impression qu'une procédure est en cours.

Chaque fois que je prends la tangente ou que je pique un petit somme, je lance ce programme. Si on me surprend à mon bureau ou si quelqu'un jette un œil sur mon écran en mon absence, tout laisse à penser que je suis quelqu'un de très occupé.

De : [respect de l'anonymat]
À : scottadams@aol.com

La meilleure façon d'avoir l'air débordé, c'est d'avoir l'air en colère.

De : [respect de l'anonymat]
À : scottadams@aol.com

Voici un plan qui marche à tous les coups. Prenez sous le bras une grosse pile de documents d'apparence officielle, ou alors un ordinateur portable haut de gamme et une trousse à outils. Affichez une moue TRÈS contrariée et passez en trombe devant votre chef, en grommelant des trucs inintelligibles tout au long du processus. Dirigez-vous vers la salle de réunion la plus proche, jetez votre fatras sur une table de conférence, et refermez la porte derrière vous. Votre supérieur hiérarchique sera persuadé que vous êtes confronté à un problème très délicat. Vous pouvez maintenant savourer plusieurs heures de quiétude et de paix.

Combien de temps peut-on rester en poste sans fournir le moindre travail effectif? Je connais un certain nombre de gens qui, semble-t-il, mènent une enquête à long terme pour tenter de trouver une réponse à cette épineuse question. Là où les choses se compliquent, c'est quand il s'agit d'expliquer ce que vous avez fait tout au long de l'année, une fois qu'il a été clairement établi que tous vos projets ont capoté pour cause de fainéantise notoire. Mais, quand on a la chance de travailler sur des projets qui capotent pour des raisons autres que l'absence totale d'investissement de l'opérateur, on peut brouiller les pistes et se vautrer dans l'indolence jusqu'à la nuit des temps.

JOUER LA CARTE DU SURMENAGE POUR EN FAIRE LE MOINS POSSIBLE

Si votre éthique personnelle vous interdit d'avoir recours à des stratagèmes grossiers pour vous soustraire au travail, vous accomplirez des performances similaires en jouant la carte du surmenage de façon tellement convaincante que ce sont les autres qui vous éviteront. Je ne recommanderai cette approche qu'aux individus ayant déjà atteint ce que j'appellerai la phase Trois du surmenage.

LES QUATRE PHASES DU SURMENAGE

Phase Un : Vos journées ne sont qu'une succession de crises.

Phase Deux : Vous passez vos journées à expliquer aux gens que vos journées ne sont qu'une succession de crises.

Phase Trois : Vous passez vos journées à vous excuser de ne pas avoir pu gérer telle ou telle crise, car vous

passez vos journées à expliquer aux gens que vos journées ne sont qu'une succession de crises.

Phase Quatre : Vous êtes tellement occupé que plus personne n'ose même vous appeler.

Nombreux sont ceux qui commettent l'erreur de vouloir
se dégager des plages horaires pour leurs projets créatifs en
appliquant la technique consistant à alléger leur charge de
travail. C'est là une stratégie vouée à l'échec. Un adulte ne
redescend jamais en deçà de la phase Un. Si vos collègues,
votre famille ou vos contacts professionnels découvrent que
votre emploi du temps n'est pas constitué d'une succession
de crises mettant dangereusement votre vie en péril, ils se
feront un plaisir d'y remédier.

N'espérez pas vous libérer du temps si le bruit court que
vous avez allégé votre charge de travail. Vos collègues lan-
ceraient une OPA sur votre temps libre, pour le vampiriser
avec leurs propres problèmes. C'est ce qu'on appelle le
travail d'équipe. Évitez à tout prix.

Ce n'est pas en s'efforçant de travailler MOINS qu'on
arrive à libérer du temps pour ses projets créatifs. Au
contraire, le chemin vers la liberté passe par une charge de
travail ACCRUE, laquelle permet d'atteindre la phase
Quatre. L'idée, c'est de crouler sous des missions d'une
importance tellement capitale que plus personne de sensé ne
songe à vous confier quoi que ce soit d'autre. On peut alors

cesser de fournir tout travail effectif. On sera tellement persuadé que vous êtes débordé par vos missions philanthro-
piques – c'est plus fort que vous, c'est dans votre nature –
que ce serait faire preuve d'inélégance, pour ne pas dire de
goujaterie, que de vous en demander plus. C'est la technique
qu'appliquent nos PDG, et c'est ce qui explique pourquoi eux
arrivent à prendre douze semaines de vacances par an sans
pénaliser la bonne santé de l'entreprise, mais pas vous.

SE MONTRER PEU OBLIGEANT ENVERS SES COLLÈGUES

Tout au long de la journée, on viendra vous trouver pour
vous demander de l'aide. Si vous commettez l'erreur de vous
montrer obligeant, ces même gens reviendront à la charge le
lendemain. Pire, ils risquent d'aller vanter votre obligeance
à qui veut bien les entendre. Bientôt, de parfaits inconnus
viendront solliciter votre bonté. La meilleure technique permettant d'échapper à ces parasites – j'entends par là vos
collègues – consiste à faire preuve d'une désobligeance rare,
comme dans les exemples ci-dessous :

Ne bougez pas, j'arrive ! : Si un collègue vous pourchasse pour que vous lui donniez un coup de main sur son projet, convenez d'un rendez-vous à une heure donnée dans une salle de réunion à l'autre bout de la planète. En acceptant cette réunion de travail sans opposer de résistance, vous vous offrez dans un premier temps un ballon d'oxygène. Ensuite, vous prolongez votre répit d'au moins trente minutes, minutes pendant lesquelles votre collègue, ne vous voyant pas arriver, aura toute latitude de vous traiter de tous les noms. Il finira par vous pourchasser ou tenter de vous joindre au téléphone. Étonnez-vous du temps qui passe et dites que vous avez juste un coup de fil à passer. Ayant personnellement enduré les outrages de cette technique à maintes reprises, je peux vous assurer que non seulement elle est d'une efficacité redoutable, mais qu'en plus on peut l'infliger à la même victime de façon répétée.

Pause-cigarette : Si vous n'êtes pas déjà fumeur, envisagez de le devenir. Sur le long terme, vous mourrez d'une mort atroce, mais, à brève échéance, vous profiterez de tous les avantages que confère le statut de paria mis au ban de la société pour cause de pauses-cigarette* intempestives. Et puisque tout non-fumeur sait bien qu'il est parfaitement vain d'essayer de raisonner un fumeur, on trouvera parfaitement normal que vous interrompiez telle ou telle activité professionnelle pour aller vous en griller une. Pour mettre un terme à une réunion improductive avec un non-fumeur, invitez-le à poursuivre la conversation sur le trottoir d'en face, autour d'une petite cigarette. La plupart des non-fumeurs se découvriront soudain une urgence à clore le débat sans délai.

---

* NdT : Rappelons qu'il est formellement interdit de fumer dans la quasi-totalité des lieux publics des États-Unis, à commencer par l'entreprise où, du coursier au PDG, tout fumeur – espèce en voie de disparition et effectivement honnie dans les mégalopoles américaines – est contraint de sortir de l'immeuble pour fumer sa cigarette.

Exploiter le filon de sa propre incompétence : Ceux d'entre nous qui sont des incompétents nés connaissent tout le bonheur et toute la liberté que confère un tel statut. Les collègues d'individus de cette espèce apprennent à soigneusement éviter de leur confier quoi que ce soit d'important, et laissent une fois pour toute leur esprit vagabond divaguer (étant précisé qu'on ne souhaite pas savoir où). Si vous n'êtes pas vous-même d'une incompétence crasse, prenez donc un peu de graine auprès de cette experte en la matière.

De : [respect de l'anonymat]
À : scottadams@aol.com

Un collègue et moi-même avions rédigé un texte en vue d'une conférence à laquelle nous avions prévu d'assister la semaine suivante. Le lundi, nous avons demandé à la secrétaire de notre groupe de travail de le saisir sur un papier à en-tête du service, précisant qu'il le fallait pour jeudi au plus tard. « Sans problème », fut sa réponse. Plus tard dans l'après-midi, nous nous sommes aperçus qu'une correction mineure devait être portée sur la copie, et je la priai de me rendre mon rapport. Elle me demanda en se tortillant sur son fauteuil si elle pourrait me l'apporter le lendemain. Mais le lendemain matin, rebelote : « Passez me voir après le déjeuner », me dit-elle. Et quand arriva le début d'après-midi, ce fut : « Pas aujourd'hui. Demain, peut-être. »

« Il est passé où, ce rapport ? », demandai-je.

« Oh, dit-elle. Hier, j'avais tellement de trucs urgents qui s'accumulaient sur mon bureau que j'ai tout glissé dans une enveloppe courrier intérieur, et que je me la suis adressée à moi-même. Comme ça, mon bureau est impeccable et on a l'impression que je gère au fur et à mesure. Je travaillerai sur votre rapport dès qu'il me reviendra, dans un jour ou deux. »

L'enveloppe revint le mercredi. Je m'en suis emparé et jamais je ne lui ai plus redemandé quoi que ce soit.

NOUVEAU PROTOCOLE POUR UN RENDEMENT ACCRU

Il y a deux cents ans, lorsque la Terre ne comptait encore que peu d'habitants, chacun se faisait un grand plaisir d'écouter n'importe quelle histoire, depuis les contes d'arbres aboyeurs jusqu'aux histoires de panaris. Je parle d'une époque où l'électricité n'était pas encore très répandue ; une bonne vieille histoire de panaris, c'était toujours plus excitant que de rester assis dans le noir à ne rien faire.

Aujourd'hui, nous avons la télévision pour combler le vide sidéral de nos vies. Et pourtant, nous arrivons encore à nous faire piéger par des gens qui n'ont rien d'intéressant à dire. Voilà qui peut gaspiller de vastes blocs d'espace dans notre temps précieux.

Je crois que nous devrions tous nous mettre autour d'une table pour, ensemble, convenir d'un nouveau code de politesse permettant de se dégager élégamment d'individus de cette espèce. Cela pourrait donner quelque chose comme ça :

DÉCRET

Nouveau protocole

Tout citoyen est tenu de porter un badge dressant la liste de ses sempiternelles histoires. Cette énumération spécifiera le minutage exact pour chacune. Avant d'accepter de subir telle ou telle histoire, tout citoyen est en droit de consulter le badge de son possible interlocuteur, afin de déterminer s'il est prêt à lui consacrer le temps requis par ladite histoire, ou non.

Listing des histoires de : Bernard

- Pas moyen de faire
  démarrer ma voiture :   Durée totale : 14 min
- Je me suis pris le
  râteau dans le pelvis : Durée totale : 18 min
- Cet enfoiré de clebs
  a encore mangé
  tous mes Pépito :   Durée totale : 12 min
- Je déteste l'art,
  et je le prouve :   Durée totale : 83 min

Après avoir détaillé le listing des histoires de son inter-locuteur, la victime potentielle de l'histoire serait en droit de poliment décliner l'abus, au moyen d'une formule de ce type :

> Je ne souhaite pas perdre (X) minutes de ma courte existence pour m'entendre narrer le goût de votre chiard pour les crayons de couleur. Toutefois, si un prolongement notable de mon espérance de vie devait survenir (improbable révélation d'immortalité ou autre), je ne manquerais pas de vous recontacter dans mes meilleurs délais.

Cela peut sembler cavalier, mais, à partir du moment où tout le monde jouerait le jeu, ce serait parfaitement civil. En plus, ce n'est pas idiot : même sur une boîte de flageolets, on colle une étiquette qui dit ce qu'il y a dedans. Je demande simplement que les radoteurs soient traités avec les mêmes égards que tous les autres légumes.

Voici un modèle de liste que vous pourrez remplir au nom de l'un de vos assommants collègues, une fois qu'il vous aura convenablement saoulé avec ses sempiternelles mêmes histoires :

Liste des sempiternelles mêmes histoires de........................ (nom du collègue)

SUJET DE LA SEMPITERNELLE MÊME HISTOIRE   DURÉE

.... min

.... min

.... min

.... min

.... min

.... min

.... mn

.... mn

APPRENDRE À DIRE NON

Au cours d'une journée classique, la majeure partie de notre énergie créatrice est pompée par notre entourage, à commencer par les collègues. Rien qu'aujourd'hui, par exemple, voici le genre de demandes extravagantes qu'on m'a formulées, je cite :

▶ « Vous permettez que j'en place une ? »

▶ « Vous pouvez faire marche arrière ? Vous me roulez sur le pied, là ! »

▶ « Ça vous dérangerait, pendant deux secondes, de regarder autre chose que mon décolleté ? »

Vous imaginez la productivité de mes journées, si j'obtempérais aux ordres des uns et des autres, au lieu de garder le cap sur les priorités que je me suis fixées ? Par chance, il se trouve que j'ai mis au point un système permettant de dire non aux gens qui tentent de me détourner du chemin de la réussite créative. Je partagerai ces secrets avec vous, en espérant simplement ne jamais avoir de service à vous demander.

Voix d'outre-tombe : C'est systématique : chaque fois que j'ai quelqu'un au téléphone, on me demande si je suis malade. Chez moi, c'est naturel. Mais vous, si vous le souhaitez, rien ne vous empêche de contrefaire votre voix. Sur vingt coups de fil que je vais recevoir dans une journée, on va me demander quatorze fois si j'ai un truc incurable. La chose m'a longtemps agacé, jusqu'au jour où j'ai réalisé que je pouvais en tirer profit. Les gens se disent que je suis débordé et/ou dans un état pitoyable. Quand on me demande une faveur, je fais en sorte d'inspirer la pitié. C'est très pratique pour se débiner lâchement. Trouvez le ton juste, et vous arriverez à convaincre l'appelant que si vous accédiez à la moindre de ses requêtes, votre fin s'en trouverait précipitée. Néanmoins, montrez-vous toujours affable et de bonne volonté. Il n'est pas nécessaire de mentir. Laissez la parole à votre voix grinçante, et elle véhiculera spontanément le signal sournois jusqu'à votre interlocuteur.

Imaginons par exemple qu'un ami vous appelle et vous demande la faveur suivante :

Votre ami :   J'ai des meubles à déplacer. Tu me donnerais un coup de main ?

Vous   *(voix d'outre-tombe)* : C'est lourd ?

Votre ami :   Euh, oui. Précisément.

Vous :   Je peux déplacer des bibelots, à la limite. Enfin, s'ils ne sont pas trop gros. C'est à ce genre de trucs que tu pensais ?

Votre ami :   Euh…

Vous :   Enfin, quand je dis que je pourrais déplacer des bibelots, je n'ai pas dit les soulever et les porter. Mais bon, je pourrais les faire glisser sur l'étagère.

Votre ami :   Laisse tomber.

Vous :   Et des napperons ? Tu n'en as pas à déplacer, des napperons ? Si je peux te donner un coup de main, c'est vraiment de bon cœur.

Arrivé à ce stade de la conversation, le plus demeuré des appelants comprendra que vous êtes au plus mal. Sentant que le moment pourrait être propice aux doléances, il n'aura plus qu'une envie, c'est de raccrocher au plus vite. D'une minute à l'autre, il le sait très bien, vous risquez de lui demander de venir à votre chevet pour vous apporter un bol de soupe.

Air désorienté : L'idéal, c'est que la personne à qui vous donnez une fin de non-recevoir soit confuse d'avoir tenté d'abuser de votre bonté. Vous pouvez procéder en posant des questions, comme si vous ne compreniez pas la requête. Prenons le cas de figure où quelqu'un qui partirait en vacances vous demanderait de le conduire à l'aéroport pendant vos heures de travail. Une approche erronée consisterait à dire exactement ce que vous avez sur le cœur :

APPROCHE PEU RECOMMANDÉE :

> « Gros fumier d'égoïste, va ! Depuis quand je suis sponsor officiel de tes congés ? T'as jamais entendu parler d'une nouvelle invention appelée taxi ? Tu me fais gerber. »

On voit tout de suite l'effet que ce type de réaction venue droit du cœur pourrait avoir sur votre relation ultérieure. La bonne approche consiste à prendre un air désorienté, et à demander de plus amples explications :

APPROCHE RECOMMANDÉE :

Votre ami : Tu peux me conduire à l'aéroport, demain ?

Vous : Tu me demandes de donner ma démission pour aller sillonner la planète avec toi, c'est ça ?

Votre ami :	Euh non, je voudrais juste que tu me déposes à l'aéroport.
Vous :	Tu t'es fait voler ta voiture ?
Votre ami :	Non.
Vous :	Y'a grève des taxis ?
Votre ami :	Non.
Vous :	Alors là, tu m'excuses, mais je ne te suis plus.
Votre ami :	Allez, je te revaudrai ça !
Vous :	Tu me le revaudrais tout de suite ?
Votre ami :	Faut voir. Qu'est-ce que je peux faire ?
Vous :	Tu prends un taxi et tu vas à l'aéroport.

Dire oui et ne jamais donner suite : En termes d'épargne-temps, la technique la plus efficace pour dire non consiste à dire oui, mais sans jamais joindre l'acte à la parole. Aussi valable que soit l'excuse, si l'objectif que l'on s'est fixé est de gagner du temps et de s'épargner des efforts inutiles, c'est une tactique toujours contre-productive que d'opposer un refus à quelqu'un. Quelle que soit la nature de l'alibi, vous serez tôt ou tard passé à la question, l'inquisiteur partant du principe que soit vous êtes un gros feignant de menteur, soit un débile léger trop demeuré pour trouver le moyen de faire rentrer un truc supplémentaire dans son emploi du temps. Ce qui est non seulement offensant, mais, qui plus est, d'une pertinence indéniable. D'où une humiliation doublement cuisante.

Pour vous épargner ce genre d'affres, lancez un joyeux « oui », puis vaquez à vos occupations exactement comme si vous aviez dit non. Au lieu d'essuyer des injures ou d'être soumis à un interrogatoire en règle, vous vous attirerez la sympathie. On pourrait penser que ce genre de lamentable veulerie se paye tôt ou tard, mais nos observations montrent clairement que c'est rarement le cas. Mon frère a découvert cette technique alors qu'il était encore adolescent. Quand Maman lui demandait de sortir les poubelles, sa réponse était toujours un « oui » enjoué. Et, là, il se replongeait dans ses bandes dessinées. Cela pouvait durer des heures. À chaque nouvelle requête, M'man s'énervait un peu plus. Dans le même temps, mon frère se montrait de plus en plus affable et enjoué.

« Tout de suite, M'man. C'est comme si c'était fait. »

Mais les poubelles restaient désespérément à leur place. M'man finissait par identifier le scénario habituel et faisait la seule chose qui reste à faire quand on se trouve face à un adolescent irresponsable : confier la mission au cadet. Quand on fait le total, j'en ai charrié, des poubelles. Mon frère est un génie.

Depuis, j'ai modifié la formule du oui systématique pour m'orienter vers quelque chose d'un peu moins cavalier. Aujourd'hui, quoi qu'on me demande, je m'empresse de répondre : « Sans problème ! Avec grand plaisir. J'ai à peu près six cents autres services à rendre d'abord, mais votre demande est enregistrée. Si je peux faire autre chose, n'hésitez pas à venir me trouver. »

L'idée, c'est de mettre un bémol aux espérances du demandeur, afin que, sans délai, il se mette en quête d'une solution de rechange. Qu'importe la nature du service demandé. Par le biais de cette méthode, vous pouvez tabler sur le fait qu'avant même l'échéance, le solliciteur vous passera un coup de fil pour vous dire qu'il ou elle s'est « débrouillé autrement ». On vous remerciera même pour votre aide. Montrez de la bienveillance et proposez vos services pour la prochaine fois. N'allez surtout pas dire : « Ça te fait quelle impression de te pomper ton propre sang, hein, espèce de parasite ? » Vous ne feriez qu'attiser la rancune.

Voici une histoire vécue, qui montre bien l'efficacité de cette technique :

De : [respect de l'anonymat]
À : scottadams@aol.com

L'été dernier, j'ai travaillé sur un certain nombre de pages web. Une fois finalisées, nous les avons transférées sur le serveur de l'entreprise, de façon à ce que mes collègues puissent les examiner et me donner leur avis. Par chance, la plupart de mes collègues sont au moins des semi-demeurés en matière de navigation Internet, à l'exception d'une seule. Quittant mes propres pages, cette collègue se trouva embarquée vers des pages web du gouvernement, lesquelles présentaient à l'en croire un certain nombre d'inexactitudes. Elle me téléphona pour m'en informer. Je lui expliquai que je n'avais strictement aucun moyen d'intervenir sur le site Internet du gouvernement, mais elle insistait pour que je contacte le « webmestre » afin de lui signaler ces erreurs. Son raisonnement était le suivant : si des liens apparaissant sur nos pages web permettaient d'accéder à des pages web émaillées d'erreurs, c'était mauvais pour l'image de l'entreprise. Conscient qu'une explication détaillée de la notion d'autoroute de l'information ne ferait qu'ajouter à sa confusion, je me suis contenté d'acquiescer poliment pour ensuite n'en tenir strictement aucun compte. Et hop ! Un problème de réglé.

Retour à l'envoyeur par boite vocale interposée : Dernièrement, j'ai mis à contribution ma boîte vocale pour me livrer à une série d'expériences visant à rejeter en amont toute demande intempestive. Mon message d'accueil anticipe la plupart des demandes classiques – pertes de temps potentielles – et assène le verdict sans que j'aie personnellement à m'investir. J'en change fréquemment, mais vous pouvez broder à partir du modèle suivant :

> Bonjour, vous êtes en communication avec la boîte vocale de Scott Adams. Au signal sonore, laissez un message interminable et assommant m'expliquant en vertu de quoi je devrais vous rendre service en faisant un truc d'intérêt médiocre – voire nul – pour tout le reste du système solaire. Je vous ferai parvenir ma réponse via l'écran de votre téléviseur, lequel affichera un message codé à votre attention. Si la réponse est non, Lagaf' portera une veste jaune ce soir. Si la réponse est oui, *La Marche du siècle* annoncera que son nouveau présentateur sera désormais Salman Rushdie.

Même après avoir écouté le message, la plupart des gens persistent et signent. Mais le fait est que cela calme considérablement leurs ardeurs, et que, plus tard, la pilule passe mieux quand on leur oppose un refus de vive voix.

Prière de se reporter à ma page web : Si on vous bombarde de demandes d'informations, prenez l'habitude de renvoyer les gens à votre page web. Si vous n'avez pas de page web, ou que votre page web ne fournit aucun renseignement utile, pas de souci. Ça plaît beaucoup, quand vous dites aux gens que toute l'information est disponible sur votre page web. J'imagine que c'est le top d'avoir sa page web. Alors, bon, ça doit les interpeller quelque part. Et ils s'en vont.

Fin de non-recevoir en bonne et due forme : La meilleure façon d'opposer un refus, c'est de le faire par écrit. Cela donne toute latitude pour répondre complètement à côté de la question, toute excuse étant alors bonne pour décliner la requête. Si, par exemple, quelqu'un vous laisse un message sur votre boîte vocale pour vous demander de l'aider à choisir un fournisseur pour ses logiciels, répondez par e-mail que vous êtes désolé, mais que vous avez « déjà donné aux Restos du Cœur ». De toute évidence, votre réponse n'a rien à voir avec la question qui était posée, mais on se dira que c'est un malentendu.

SECRÉTAIRES

Ne prenez jamais de secrétaire. Les gens qui ont une secrétaire finissent généralement par avoir plus de travail que ceux qui n'en ont pas.

Toute performance accomplie par une secrétaire est immédiatement équilibrée par une contre-performance.

Performance	Contre-performance
Prend les appels et note les messages.	Fait des quatre qui ressemblent à des neuf, des deux qui ressemblent à des sept, et des sept qui ressemblent à des un.
Vous fait gagner des centaines d'heures en filtrant les requêtes contre-productives.	Vous fait perdre des milliers d'heures avec ses requêtes contre-productives.
Programme vos rendez-vous.	Programme des rendez-vous avec le genre d'individus qu'on préférerait voir sur des boîtes de Vache qui rit.
Met en place l'atelier destiné à sensibiliser l'ensemble du service à la diversité dans l'entreprise.	Vous reproche votre attitude discriminatoire.
Fait barrage pour tenir les gens qui vous font perdre votre temps à l'écart de votre bureau.	Passe son temps dans votre bureau.
Achète un cadeau à votre cher(e) et tendre le jour de la Saint-Valentin.	Compte sur son cadeau pour son anniversaire, pour la fête des Secrétaires et pour tous les autres jours de la gamme Hallmark.

Performance	Contre-performance
Réduit votre stress en gérant des tâches qui vous déprimeraient.	Aggrave votre stress en vous faisant part de problèmes personnels tellement assommants que vous ne vous doutiez même pas que ça pouvait exister.
Classe vos documents importants…	… là où vous êtes sûr de ne pas les trouver.

Technique de raccrochage Dogbert

J'ai remarqué qu'environ 20 % de mes appels professionnels se soldaient par une mise en attente. Là, soit on m'oublie, soit on me raccroche carrément au nez. D'une nature confiante, j'inclinerais à penser qu'un standard est par définition compliqué, et que les gens qui s'activent commettent fatalement des erreurs de manipulation. Le problème, c'est qu'ayant personnellement tâté de l'assistance téléphonique, je connais trop bien l'ignoble vérité.

Dans le cadre de l'un de mes premiers emplois, dans une grande banque, j'ai reçu une formation pour travailler au service clientèle. Mon formateur me pria de l'excuser et alla répondre au téléphone. Il mit le client en attente et reprit ma formation comme si de rien n'était. La leçon du jour était la suivante : comment se débarrasser d'un coup de fil en mettant l'appelant en attente et en le plantant là. Imparable ! J'ai demandé à mon formateur si procéder de la sorte n'était pas une source d'ennuis potentiels. Il m'a assuré que, dans la mesure où l'on ne donne pas son vrai nom – consigne élémentaire quand on évolue dans les milieux bancaires –, on ne risque pas grand chose. Aujourd'hui encore, la plupart de mes collègues d'alors sont persuadés qu'ils travaillaient avec un petit blond nommé Patrick du Fermoir de Monsac.

Quand on travaille pour un support technique, on a chaque jour des quantités phénoménales de demeurés à gérer. Les gens qui font de l'assistance par téléphone ont donc naturellement développé les techniques les plus sophistiquées permettant de se soustraire aux appels. Contactez un support technique moins de trente minutes avant la fermeture, par exemple, et vous serez automatiquement mis en attente pendant trente minutes, pour finalement être déconnecté. Personne dans un support technique n'a envie de se faire piéger par un preneur de tête juste au moment où il s'apprête à fermer boutique. Quand on est payé pour régler les problèmes des autres, il est bien naturel de trouver des solutions pour régler les siens.

PRENDRE UN PSEUDONYME

Si vous avez un nom à rallonge ou difficile à prononcer, changez-le au profit de quelque chose de plus facile. À l'échelle d'une vie humaine, cela fait gagner des mois entiers, lesquels peuvent être consacrés à des activités sympathiques. Moi, par exemple, j'ai la chance d'avoir un nom d'une efficacité redoutable : Scott Adams. Facile à épeler, et

peu consommateur de lettres. Je peux remplir des formu-
laires comme une bête. Quand on me demande mon nom, je
le donne une fois et hop ! Affaire classée, je m'en repars
vaquer à mes occupations. Et, en termes d'épargne-temps,
les bénéfices s'accumulent : il ne m'a pas fallu plus de temps
pour écrire ce livre de bout en bout qu'il n'en faut à Boutros
Boutros-Ghali pour tenter de louer une voiture.

L'Histoire montre que les gens les plus productifs et les
plus adulés ont toujours porté des noms faciles.

NOMS AURÉOLÉS DE SUCCÈS

Cher

Madonna

Nagui

Le Président John Adams

Le Président John Q. Adams

Le succès vient rarement aux gens affublés d'un nom
compliqué. Quelques exceptions confirment la règle.
L'exemple parfait, c'est Arnold Schwarzenegger. À force
d'avoir été forcé, tout au long de sa scolarité, à écrire son
nom en haut de ses copies, l'avant-bras du côté stylo a fini
par s'hypertrophier. Au lycée, on l'appelait « Le Gros Bras ».
On l'obligea à soulever des haltères d'une seule main –
l'autre – de peur que l'hypertrophie du bras du stylo ne le
déséquilibre et ne le fasse marcher en ronds. La suite de
l'histoire, on la connaît par cœur.

Prenez « L'Artiste Jadis Connu Sous Le Nom de Prince* ».
À l'époque où il s'appelait tout simplement Prince, il caraco-

---

* NdT : De même que Michael Jackson exige des médias qu'on l'appelle « The King Of Pop » (référence à James Brown, dit « Le Parrain
de la Soul »), le créateur de « Purple Rain » exige désormais de ne plus
être désigné que sous cette appellation contrôlée, à l'exclusion de toute
autre. En relation avec l'emblème derrière lequel il sévit désormais, la
formule « Love Symbol » est toutefois tolérée.

lait aussi bien en tête du box-office avec un film à succès que dans les 10 premières places des hit-parades avec ses albums. Son ascension a été fulgurante tant qu'il a sévi sous un nom facile. Et puis, un beau jour, il s'est mis en tête de troquer ce nom-là contre une espèce de symbole bizarre. Depuis ce jour, il tente désespérément de faire un retrait à sa banque. J'ignore même s'il joue toujours d'un instrument.

JOUER LES CRÉATIFS POUR EN FAIRE LE MOINS POSSIBLE

Une excellente tactique pour alléger sa charge de travail consiste à jouer les créatifs, ce qui revient exactement au même que montrer des symptômes de démence, l'internement en HP et la mise au ban de la société en moins. Quelque part, on n'est pas très loin du profil de la Prima donna de la Technologie, mais sans le pénible fardeau de devoir simuler des compétences sur le plan technique.

EXEMPLE DE SALARIÉ SE LA JOUANT CRÉATIF

Le chef : Quelqu'un ici peut-il me fournir un état sur ce projet ?

Vous : J'AI LES POILS DU NEZ QUI OURDIS-SENT UN COMPLOT POUR NOUS ANÉANTIR !!!!

Le chef : Rappelez-moi de ne pas le convier à notre prochaine réunion, lui.

Lors de la réunion suivante, tandis que les non-créatifs s'inquiéteront des cellules graisseuses qui colonisent leur arrière-train, vous savourerez un moment de solitude loin du bruit et de la fureur.

Quand on veut faire figure de créatif, il est important de tenir son rôle du matin jusqu'au soir. Quand on vous pose une question, ne vous précipitez pas pour répondre. Au contraire, laissez votre regard errer dans le vide pendant un moment interminable, puis froncez le sourcil de telle sorte qu'on ait la vague impression qu'un sous-marin nucléaire type *Rubis* manœuvre dans vos intestins. Faites d'obscures références à des gens morts ou à des films-cultes, comme si tout le monde savait très exactement de quoi vous parlez. Voilà qui ruinera la conversation aussi sûrement que si, au cours d'une partie de pétanque, vous vous amusiez à balancer une tête réduite en guise de cochonnet.

Fixez ensuite le sol, et lâchez un truc suffisamment ambigu pour pouvoir être interprété soit comme une insulte, soi comme une menace, soit encore comme une blague très mal racontée. Faites preuve d'assiduité, et ce type de comportement vous permettra de vous dégager de longues plages de solitude propices aux initiatives créatives.

Procédez comme vous le voulez, mais dissimulez à tout prix vos compétences en mathématiques, si tant est que vous en avez. Un fort en maths ne peut être qu'un imposteur essayant de se faire passer pour un créatif. Ne ménagez pas vos efforts : jouez les sous-doués en maths. Lâchez, par exemple, au moment de l'addition : « Bon, on est quatre, on a tous mangé la même chose, et ça fait 400 F au total. Quelqu'un a une calculatrice ? »

Une fois votre réputation de créatif bien établie, rien ne vous oblige plus à tenir des raisonnements logiques, puisque par définition, le raisonnement logique est l'antithèse de la créativité. Ne ratez pas une occasion de faire ou dire n'importe quoi. Si vous vous retrouvez à discuter de l'actualité internationale, prenez une position absurde et argumentez férocement. Inspirez-vous de ces quelques points de vue intéressants liés à des enjeux cruciaux :

POINTS DE VUE INTÉRESSANTS À DÉFENDRE POUR UN CRÉATIF

▶ On devrait donner le permis de conduire aux animaux qui réussissent leur code.

▶ C'est vrai qu'il est peu vraisemblable qu'on arrive à freiner le réchauffement de la planète en ouvrant tous au même moment la porte de notre frigo, mais, bon, si on tentait le coup ?

▶ Les entreprises intelligentes perdent toujours de l'argent, à cause des impôts et des taxes. Pourquoi pas nous ?

ÉLIMINATION PAR FILTRAGE DES IDÉES STUPIDES

Êtes-vous bien à l'écoute des autres ? Je veux dire par là que, quand on vous parle, regardez-vous bien votre interlocuteur droit dans les yeux tout en hochant la tête, pendant qu'intérieurement vous vous intéressez à vous-même ?

Être à l'écoute, ça ne veut pas forcément dire boire les paroles de son interlocuteur. Le plus souvent, la première phrase suffit à se faire une idée assez précise de l'histoire qui va être développée ; il suffit alors de débrancher son cerveau, puis de hocher poliment la tête jusqu'à l'interruption du bruit. Grâce à cette technique, on est sûr de capter l'essentiel de l'information utile contenue dans toute conversation. Admettons par exemple qu'on vous dise : « Je suis triste, mon poisson rouge est mort », puis qu'on enchaîne sur le poisson rouge. Vous pouvez tranquillement ramener l'intégralité de la logorrhée qui s'ensuivra – aussi fournie soit-elle – à : « Je suis triste, mon poisson rouge est mort. » Il n'y a rien à rajouter à l'histoire du poisson rouge mort, rien en tout cas susceptible d'altérer les faits de base :

1. Poisson mort

2. Propriétaire triste

Le reste de l'histoire n'est constitué que de détails, certes importants aux yeux du propriétaire du défunt poisson, mais insignifiants pour vous. On peut se dispenser de connaître l'heure exacte ou la cause présumée du décès. Il n'est pas indispensable de connaître le nom du poisson décédé. Il est mort. Vous aurez beau l'appeler, il ne répondra pas. Vous aurez beau le nourrir, il ne mangera pas. Bientôt, il sentira mauvais. A priori, il est plus vraisemblable qu'il finisse emporté par une chasse d'eau qu'enterré au cimetière du Père-Lachaise. Pas besoin d'écouter quand on vous cause pour savoir tous ces trucs.

Tout au long de l'existence – si tant est qu'on écoute quand on nous parle – on est voué à essuyer un formidable feu roulant d'idées et de suggestions stupides. Il est donc indispensable de se doter d'outils permettant d'écrémer les 99 % d'idées stupides, pour ne retenir que le 1 % de bonnes. On gagne ainsi un temps colossal.

Personne n'est suffisamment doué pour prédire avec exactitude quelles idées en particulier constitueront l'improbable 1 %. En revanche, il est possible d'éliminer à la source certaines des plus consternantes, et donc de multiplier ses chances de viser juste. Au fil des ans, j'ai développé ces quelques règles de base permettant de passer au crible toute suggestion pour en éliminer les déchets. Efficacité garantie, regardez :

RÈGLES DE BASE CONCERNANT L'ÉLIMINATION PAR FILTRAGE DES IDÉES STUPIDES

1. Une opinion basée sur la réaction physique d'une personne est plus fiable qu'une opinion basée sur ce que pense cette personne.

2. Un avis spontané est plus utile qu'un avis demandé.

3. Le problème n'est pas de savoir combien de gens n'aiment pas une idée. La seule chose qui compte, c'est de savoir combien de gens aiment bien cette idée.

4. Une idée sensée présentant un faible potentiel côté gains est une mauvaise idée.

Le pouvoir désinfectant de ces quatre règles est si puissant que vous aurez un certain mal à le croire. Livrez-vous au petit exercice suivant et jugez vous-même.

EXERCICE PRATIQUE : CHERCHEZ L'ERREUR

Une ou plusieurs idées stupides se sont glissées dans l'énumération ci-dessous. Passez chaque idée au crible en vous servant des quatre règles éliminatoires de base. Si un seul des quatre critères n'est pas rempli, il s'agit d'une idée stupide.

A. « Puisque tu insistes pour savoir, oui, ton pot-au-feu est sublime. À mon avis, tu devrais ouvrir une chaîne. »

B. « Je me mêle de ce qui ne me regarde pas, et il est vrai que nous sommes de parfaits inconnus l'un pour l'autre, mais, bon, vous devriez faire quelque chose pour ce poireau qui vous pousse au milieu du front. Sans blague, vous ressemblez à une licorne. »

C. « Personnellement, je n'aime pas votre idée d'invention anti-pesanteur. Vous feriez mieux de réserver votre temps à des projets moins futiles. »

D. « Les livres de *Dilbert*, moi, ça m'émoustille. On devrait en écrire plus. »

E. « Vous devriez vous mettre à l'escalade ! »

Ces filtres donnent l'illusion d'être simples, mais ils sont incroyablement performants. Utilisez-les, et vous gagnerez un temps précieux dans votre processus d'élimination par filtrage des idées stupides, sans risquer de passer à côté des bonnes.

▶ PROVOQUER DES SITUATIONS COMIQUES

Dans ce sous-chapitre, je vous livrerai ma formule secrète – affûtée à longueur de *Dilbert* – pour transformer les situations horripilantes et déprimantes de la vie de bureau en saines et roboratives crises de rire. Une fois ces techniques assimilées, plus question de voir en vos collègues un ramassis de semi-demeurés et/ou d'empêcheurs de tourner en rond : au contraire, ils deviendront un carburant indispensable – bien que peu raffiné – pour votre moulin à déconnade. La métamorphose de votre chef sera, elle aussi, spectaculaire : d'odieux nabot sans scrupules, il se transfigurera sous vos yeux en une mine inépuisable d'éclats de rire potentiels. Une fois que les ficelles comiques n'auront plus de secret pour vous, votre lieu de travail vous semblera un endroit formidable pour aller vous divertir chaque matin.

Certains salariés mettent toute leur énergie à tramer et à manœuvrer. C'est ce qu'on appelle être « machiavélique ». Une fois les ficelles du comique bien assimilées, on peut passer des journées entières à se moquer des individus de cette espèce. C'est ce qu'on appelle être « moquiavélique ». À choisir, on est plus heureux dans la peau d'un moquiavélique que dans celle d'un machiavélique. Et puisque vous passerez pour quelqu'un de plus rigolo (donc de plus intelligent), vous finirez par devenir l'employeur de ces salariés machiavéliques. Et, là, vous les martyriserez de plus belle.

FAIRE PREUVE D'ORIGINALITÉ

Pour faire mouche, le comique doit être inédit. Pour inventer un comique original – ou quoique ce soit d'original –, c'est facile. Appliquez ma formule :

Formule de l'originalité

[Pillage + Absence de talent + Temps = Originalité]

Identifiez quelqu'un de plus gâté que vous côté talents créatifs, puis imitez cette personne du mieux que vous pouvez. Ceux qui me ressemblent peuvent tabler sur leur talent degré zéro pour que l'imitation n'ait rien de comparable avec l'original. Au fil du temps, on s'éloigne de plus en plus du modèle de référence, asseyant ainsi son statut d'« original ».

Simple coïncidence ?

Peanuts © UFS, Inc   Dilbert © UFS, Inc

La seule chose qui pourrait éveiller des soupçons, c'est que l'imitation se révèle trop fidèle à l'original. Si, par malheur, vous étiez naturellement doué pour la contrefaçon, masquez l'imposture en combinant des trucs volés à des sources diverses, jusqu'à brouiller toutes les pistes.

La notion d'originalité est, à de nombreux égards, comparable au vol de voitures. L'élégance veut en effet que, avant de repasser devant l'ex-propriétaire du véhicule volé, on ait la délicatesse de maquiller les plaques et de repeindre la carrosserie. Simple question de prévenance.

On pourra me taxer de cynisme, mais, pour autant que je puisse en juger, le pillage est la seule approche à laquelle tout « original » a recours (cas relevant directement de la psychiatrie mis à part). Ce qui fait la différence entre une œuvre dite originale et une œuvre qui l'est moins, c'est le talent dont on a fait preuve pour maquiller le vol.

CHOIX DE L'INTRIGUE COMIQUE

Le plus difficile, quand on se mêle de vouloir écrire des trucs drôles, c'est de trouver un sujet moins usé que l'unique brosse à reluire mise à la disposition des invités dans le carré Vastes Ignares Prétentieux de Roland-Garros. L'idéal, c'est de porter son choix sur une situation prêtant à sourire avant même l'injection de la dose comique. Optez pour un concept inédit et par nature hilarant, et la partie sera à moitié gagnée. Voici quelques thèmes empruntés au monde des affaires, et dont la seule évocation suffit à déclencher l'hilarité :

THÈMES DE RÉFLEXION NATURELLEMENT COMIQUES

▶ Le travail en équipe

▶ L'employé du mois

▶ Les cellules de travail

▶ ISO 9000

Si tel ou tel sujet vous donne des haut-le-cœur, ou vous donne envie de serrer les fesses, de rire, de soupirer ou de vomir – n'importe quelle réaction physiologique, en fait –, cela signifie que vous tenez le bon bout. Les meilleures situations sont celles qui déclenchent une réaction physique. Sinon, c'est de la pure information, sans charge émotionnelle aucune.

L'essence du comique, c'est l'émotion. C'est la raison pour laquelle il est impossible de faire rire à partir d'un objet – une cellule de travail, par exemple – sans y injecter la dimension humaine. Le plus drôle dans une cellule de travail, c'est la façon dont elle est vécue et ressentie par l'être humain. C'est fou la diversité des émotions que peut susciter une cellule de travail :

ÉMOTIONS LIÉES À LA VIE EN CELLULE DE TRAVAIL

▶ Désespoir de ne pas s'être vu attribuer un vrai bureau

▶ Béatitude du nourrisson dans le ventre de sa mère

▶ Détestation des gens dotés de portes

▶ Fureur de devoir subir les nuisances sonores émanant des cellules de travail avoisinantes

▶ Paranoïa d'être surpris en flagrant délit de non-productivité

▶ Claustrophobie

▶ Fierté de petit propriétaire immobilier

▶ Sentiment d'être pris en otage par des collègues odieux

Quand on essaye d'écrire des trucs drôles, la plus sûre des impasses consiste à miser sur les objets plutôt que sur les émotions. L'une des idées qui revient le plus souvent dans les suggestions pour Dilbert, c'est celle de « cellules de travail superposées ». L'idée consiste à empiler les salariés dans des cellules de travail superposées, exactement comme sur les lits du même nom. D'un point de vue purement visuel, l'idée est séduisante. Il ne serait pas trop difficile d'imaginer un gag dont l'effet comique reposerait sur l'apparence physique de cellules de travail superposées. Mais il tomberait à plat. Si ingénieuse que puisse sembler l'idée, une cellule de travail, même superposée, n'est jamais qu'un objet. Le comique ne décollerait qu'à partir du moment où le ressort du gag serait non pas la cellule elle-même, mais comment elle serait vécue par un salarié traité comme de la marchandise superposable. Personnellement, si je devais exploiter cette idée-là, je me garderais de représenter les cellules, pour me concentrer au contraire sur la façon dont elles sont vécues par les salariés.

Une fois le sujet choisi, il ne reste plus qu'à appliquer la règle des « Deux sur Six ».

LA RÈGLE DES « DEUX SUR SIX »

Certaines sommités de l'humour prétendent que le secret du comique, c'est la formule [truc inattendu + sale histoire], étant précisé qu'il est primordial que ce soit un autre qui trinque. Mais, s'il n'en fallait pas plus, les Molière du comique seraient tous raflés par des tueurs en série. Le JT de 20 heures n'est qu'une succession de sales histoires qui arrivent aux autres. La plupart n'ont rien de rigolo, sauf quand il est question de baleines qui explosent, d'oreilles mordues ou de milliardaires qui se font entarter.

Il y a plein d'histoires drôles qui ne sont pas cruelles. S'il fallait qu'une blague soit cruelle pour être drôle, certaines des plus classiques devraient être réécrites. Regardez :

> Question :   Pourquoi la poule a-t-elle traversé la route ?
> Réponse :   Parce qu'on lui a mis le feu.
>
> Question :   Pourquoi les pompiers portent-ils des bretelles rouges ?
> Réponse :   Peut-être qu'on leur a mis le feu, à eux aussi.

S'il est vrai que la plupart des situations comiques se caractérisent par un certain effet de surprise, une certaine cruauté et un certain décalage, cela ne nous avance guère de le savoir. Ça ne va pas vous rendre drôle pour autant. Et il y a trop d'exceptions. Il y a un truc qui manque, c'est clair. Voilà pourquoi j'ai mis au point une grille pratique susceptible de vous aider à provoquer des situations comiques. J'appelle cela la règle des « Deux sur Six ». Elle se fonde sur mes observations établissant que le ressort de toute situation comique repose au minimum sur deux de ces six dimensions :

LES SIX RESSORTS DE TOUTE SITUATION COMIQUE

1. Mignon

2. Méchant

3. Incongru

4. Reconnaissable

5. Grossier

6. Subtil

On peut exploiter les deux ressorts que l'on préfère, cela n'a aucune espèce d'importance. De même qu'on peut fort bien en exploiter plus que deux. La seule chose qui compte, c'est d'en utiliser au minimum deux.

Le mode d'emploi de cette grille est le suivant : vous choisissez un sujet qui se prête à l'une des dimensions – quelque chose de naturellement mignon, par exemple. Puis vous vous creusez le ciboulot pour voir laquelle des cinq autres dimensions pourrait être incorporée au mélange sans le faire tourner.

La grille en elle-même ne suffit pas à vous garantir des éclats de rire. C'est une base, rien de plus. Mais je vais maintenant vous donner des tuyaux supplémentaires vous garantissant à 80 % votre ticket d'entrée gratuit pour Gondole City. Je développperai chacune des six dimensions afin de vous permettre d'apprendre par l'exemple, et de vous faire une idée plus précise des applications possibles.

MIGNON

Par mignon, j'entends la dimension que les enfants et les animaux ont en commun. Tout ce qui a une fourrure est mignon, du moins tant qu'on ne l'écrase pas en

roulant dessus ou qu'on n'en fait pas un manteau de fourrure.

Tout ce qui a de grands yeux et un petit nez est générale-
lement mignon, exception faite peut-être de Michael
Jackson. Quand au casting des Deschiens, le jury n'a pas
encore rendu son verdict.

Quand un truc est mignon, cela se voit tout de suite. Il
n'existe pas de critères strictement établis. Une chose est
sûre : un chien coiffé d'un couvre-chef, c'est toujours
mignon.

Ne classez pas au registre « mignon » ces adultes qui,
bien que ne répondant pas aux canons de la beauté classique, n'en restent pas moins persuadés qu'ils sont char-
mants.

J'ai longtemps été membre de ce club, mais personne ne
voulait me croire. Alors, maintenant, j'explique aux gens que
je suis irrésistible. C'est un point de vue plus facile à
défendre, dans la mesure où la notion de ce qui est sexy ou
pas est plus subjective que celle de « mignon ». Par exemple,
quand vous regardez une émission animalière à la télé et
qu'on y montre deux blaireaux en chaleur en train de se la
donner comme des bêtes, vous ne vous dites pas : « Je trem-
perais bien mon biscuit, moi aussi. »

Hein, je suis sûr que non. Alors que, moi, oui. Moi les
blaireaux, ça m'émoustille. CQFD : chacun se fait une idée
différente de ce qui est sexy, et de ce qui ne l'est pas.

Et maintenant, admirez la maestria avec laquelle je vais retomber sur mes pattes.

À l'inverse du désir sexuel, domaine dans lequel chacun voit midi à sa porte, tout le monde est généralement d'accord pour considérer qu'un truc est « mignon ». Incorporez à la recette un gamin ou un animal, et la partie sera déjà à moitié gagnée. À moins évidemment que les gamins en question soient moches comme des poux. La seule chose requise pour tirer le « mignon » vers le « comique », c'est l'injection d'une dimension supplémentaire. Un brin de cruauté exalte toujours merveilleusement ce qui est mignon. Prenez Casimir, par exemple ; il est mignon comme tout, Casimir. Mais Casimir en chiche-kebab, là, ça devient carrément drôle. C'est mignon, c'est cruel... Bref, tous les ingrédients sont réunis.

La cruauté n'est pas la seule dimension qui fasse bon ménage avec ce qui est mignon. Disons que c'est ce qui vient immédiatement à l'esprit. Voici l'exemple d'un truc mignon auquel on a incorporé un brin de cruauté, pour finalement le saupoudrer d'un trait d'esprit en forme de jeu de mots* :

---

* NdT : Encore une fois, l'auteur joue sur le double sens des mots. Tandis que le mot « pawn » (pion, aux échecs) évoque aussi l'idée du mont-de-piété, celui de « rook » (tour, aux échecs) évoque, lui, une escroquerie.

L'exemple qui suit est une combinaison [mignon + cruel], cette fois avec un nappage discret de reconnaissabilité sur le thème : « J'ai déjà vécu ça ».

MÉCHANT

Quand on incorpore de la méchanceté à une situation donnée, le comique a vite fait de dégénérer en quelque chose d'aussi prétentieux qu'ignorant. Imaginons par exemple que vous preniez une « *Tickle Me Elmo Doll** », truc au demeurant plutôt mignon, et que vous décidiez de vous en servir pour quelque chose de méchant – vous en servir d'allume-feu pour lancer le barbecue au pique-nique de la crèche, par exemple. Ce serait certes cocasse, mais quelque peu infantile. Personnellement, je trouve cet humour-là impardonnable.

Je recommande une approche plus raffinée de la cruauté. La méchanceté doit être quelque chose de plus subtil et de plus complexe. Ce qui n'exclut en rien de faire appel à une poupée qui parle. Prenez l'histoire de cette famille économe, par exemple.

---

* NdT : Littéralement « Poupée Elmo, modèle "Chatouille-moi" » : jouet-culte extrêmement convoité dans toute l'Amérique profonde. Équivalent des « *Beanie Babies* », douces et coûteuses poupées disponibles en séries limitées et soutenues par un marketing féroce ; des non moins convoités nounours parlants « *Teddy Ruxpin* » ; ou chez nous, dans une moindre mesure, des poupées Corolle.

Les parents sont trop chiches pour offrir à leur gamine la chose qu'elle désire le plus au monde : une poupée qui parle. À la place, ils décident d'en louer une pour un mois, dans l'espoir que leur fille s'en lassera avant l'échéance. Leur fille, Julie, est enchantée de sa poupée qui parle et s'en amuse chaque jour pendant les trente jours, s'y attachant un peu plus chaque jour.

La période d'essai touchant à sa fin, les parents profitent de ce que Julie est à l'école pour aller restituer la poupée au loueur. Soucieux d'éviter une situation pénible quand Julie rentrera de l'école, ils inventent un pieux mensonge pour expliquer la disparition de la poupée. C'est décidé : ils diront à l'enfant que sa poupée est morte parce qu'elle ne lui a rien donné à manger.

Pour étayer leur argumentation, les parents décident d'enterrer un truc au fond du jardin. L'option la plus évidente est le danois des voisins, dans la mesure où le chien répond au doigt et à l'œil quand on l'appelle, ce qui élimine d'emblée le besoin de traîner des masses inertes. Intrigués par les aboiements du chien, les voisins sortent de chez eux pour voir ce qui se passe. Réagissant au quart de tour, les parents de la petite Julie dérouillent les voisins à grands coups de pelle et les enterrent dans le trou destiné à l'origine au chien. La famille des voisins, débarquant en force à l'occasion de la grande réunion de famille prévue ce jour-là, entend les hurlements et vole à leur secours. Les parents de la petite Julie – devenus experts dans le maniement de la pelle – trucident la famille des voisins jusqu'au dernier, et les jettent au sommet de la pile. Quelqu'un appelle la police. L'air retentit du cognement sourd des pelles sur les crânes. Finalement, la pile au fond du jardin devient une montagne qui culmine si haut que la famille démarre une luxueuse station de sports d'hiver et que tous deviennent multimillionnaires.

Morale de l'histoire : Si la vie te donne des citrons, démarre une luxueuse station de sports d'hiver.

Cette histoire le démontre clairement : aucune loi n'établit que l'humour exclut les messages profonds. En revanche, attention au mélange [mignon-méchant]. Tout le monde n'a pas la maturité requise pour saisir à quel point ces petites choses-là sont cocasses.

Si vous êtes trop timoré pour pousser votre méchanceté jusqu'au génocide, concentrez-vous sur la grossièreté et vous obtiendrez des résultats tout de même satisfaisants. La vulgarité, c'est méchant ; et en plus, rares sont les gens qui s'offusquent de la grossièreté des autres, lorsqu'elle est rapportée dans une histoire.

INCONGRUITÉ

L'incongruité, c'est ce que l'on obtient en mélangeant deux éléments disparates, n'importe lesquels. Un rhinocéros sur une bicyclette, c'est incongru. Votre supérieur qui s'intéresse à votre vie privée, c'est incongru. Un salarié qui se plaint d'être surpayé, c'est incongru.

Dans l'univers de la bande dessinée, la technique la plus classique pour créer une situation incongrue consiste à prendre un animal et à lui prêter un comportement humain. Dotez l'animal de parole, et c'est déjà à moitié dans la poche, surtout si l'animal est mignon. Voilà pourquoi on rencontre dans les BD tant de mignons petits animaux parlants.

Les mots qui sortent de la bouche de Dogbert ne font rire que parce que Dogbert est un petit chien blanc. Si ce n'était pas un chien qui parlait, la BD qui suit n'aurait rien de drôle.

Pour autant, il ne faut pas confondre « incongruité » et « n'importe quoi ». On obtiendra un effet d'autant plus percutant que, quelque part, un pseudo-raisonnement ficelle le tout. S'agissant des animaux parlants, on a tous un jour ou l'autre fait l'expérience d'un animal à la limite de l'humain. De là à ce qu'il se mette à marcher sur ses deux jambes et à parler, il n'y a qu'un pas, vite franchi. Ce type d'approche fonctionne quasiment pour tout : on prend un truc ordinaire, et puis on grossit le trait jusqu'à ce que ce truc ordinaire devienne vraiment bizarre. On déroule ainsi une sorte de fil d'Ariane qui permet de s'y retrouver.

À l'inverse, imaginez une boule de bowling qui se comporterait comme un réfrigérateur. C'est certes incongru, mais trop absurde pour être drôle. De fait, c'est n'importe quoi, dans la mesure où il n'y a aucun enchaînement logique entre une boule de bowling et un réfrigérateur. Ce genre de gag a de fortes chances de tomber à plat.

Mais prenez un directeur des ressources humaines et exagérez son attitude peu altruiste, doublée d'une propension au sadisme. Ça nous donne quoi? Un chat, évidemment. Voilà pourquoi l'infâme Catbert, Directeur des Relations Inhumaines, est une incongruité qui fonctionne.

Voici deux concepts incongrus – sexe et appareils ménagers – qui peuvent être reliés ensemble par un fil logique ténu. Sans ce fil ténu qui permet de ficeler deux choses sans rapport, le comique tomberait à plat.

RECONNAISSABILITÉ

Vous êtes-vous déjà trouvé dans cette situation? Vous vous arrêtez au feu rouge, et il n'y a personne à des kilomètres à la ronde. L'idée de griller le feu vous effleure. Vous regardez à droite, puis à gauche, puis dans votre rétroviseur. Pas d'agent de police, pas de témoin. L'infraction parfaite est au bout de votre semelle. Dans quelque direction que vous

vous tourniez, vous avez des kilomètres de visibilité. L'âme scélérate, vous souriez intérieurement. Un sentiment d'étrange bien-être vous envahit. Une voix monte en vous qui dit : « Je suis un hors-la-loi. »

Et puis le feu passe au vert. Vous vous sentez minable, assis là comme un nain de jardin en coma dépassé, à vous autoproclamer rebelle. Vous n'avez rien d'un rebelle. Vous vous engagez prudemment dans le carrefour et vous tournez lentement à droite. Soudain, vous vous souvenez que, dans l'État où vous habitez, il est parfaitement légal de tourner à droite quand le feu est au rouge* ; et, donc, que rien ne vous obligeait à attendre qu'il passe au vert. Vous êtes non seulement un non-rebelle, mais, en plus, un non-rebelle lent à la détente. Et, pour couronner le tout, vous avez mis votre cligno.

Si l'idée de griller un feu vous a jamais effleuré, la situation que je viens de décrire aura provoqué en vous une sensation que j'appelle « reconnaissabilité ». En d'autres termes, une sensation qui permet de s'identifier facilement à la situation et de la visualiser parfaitement.

Mais visualiser une situation ne permet pas forcément d'en rire. Il faut *ressentir* les choses. Imaginons que l'histoire vous mette en scène en train de vous arrêter à un feu rouge, puis de vous engager dans le carrefour – rien de plus. Vous pouvez visualiser la situation sans problème, mais la charge émotionnelle est nulle. Vous ne la ressentez pas dans vos tripes. Dans la recherche d'un effet comique, cette situation ne peut donc pas être considérée comme « reconnaissable ».

Mais incorporons un élément supplémentaire à l'histoire du feu rouge, histoire de l'épicer un tantinet. Imaginons qu'un autre conducteur au volant de son véhicule vous talonne. Le feu vient tout juste de passer au vert, vous

---

* NdT : Manœuvre effectivement licite dans certains États américains, et pas dans d'autres.

marquez un temps d'hésitation, et le conducteur derrière vous klaxonne sur le mode « redresseur de torts ». Vous avez la haine, parce qu'au moment où il a klaxonné, vous aviez déjà démarré. C'est ce qu'on appelle un coup de Klaxon déplacé. Là, déjà, l'histoire a plus de chances de passer le test de la reconnaissabilité comique, plus en tout cas que l'exemple précédent. Prenez cela comme point de départ, rajoutez une dimension supplémentaire, et vous obtiendrez un effet comique.

En termes de reconnaissabilité, l'inconvénient majeur est que chacun d'entre nous a un vécu différent. Difficile de trouver une situation évocatrice pour tout le monde. Quand on n'a jamais conduit une voiture, même l'histoire du feu rouge tombe à plat. Mais l'excès inverse – compter sur des thèmes universels comme manger, tomber amoureux, dormir ou faire ses courses – est encore plus aléatoire. Pas un rigolo sur cette terre qui ne les ait usés jusqu'à la corde. Mon conseil : aborder des thèmes qui vous gonflent personnellement, en espérant que d'autres partageront vos sentiments.

L'exemple qui suit pourra sembler irréel à certains, et pourtant il n'en est rien. J'ai reçu beaucoup de témoignages de gens se plaignant que leur chef formule le genre de requête exposée dans ce dessin. Ces infortunés y trouveront reconnaissabilité et subtilité – sous forme de rupture de l'enchaînement logique (je développerai plus loin) –, le tout étant nappé d'un léger glaçage de méchanceté.

GROSSIÈRETÉ

Sautez ces pages si vous êtes facilement choqué.

La dimension de la grossièreté englobe tout sujet dont vous ne souhaitez pas vous entretenir avec votre mère. Et j'ai bien dit *votre* mère, pas la mienne. S'agissant de grossièreté, ma mère n'est pas un bon exemple, car elle a grandi dans une ferme spécialisée dans la production de lait. Ses corvées consistaient notamment à pelleter de gigantesques montagnes de matière fécale, à arracher les trucs qui pendouillent au postérieur des vaches, et à faire fonction de déléguée aux rapports pré-nuptiaux entre gallinacés. De même que les Esquimaux ont développé un large vocabulaire permettant de dire « neige » de toutes sortes de façons, les gens des fermes spécialisées dans la production de lait ont développé une vaste terminologie désignant leur environnement. Et comme ils aiment consommer tout ce qu'ils produisent, ils ont parallèlement recours à ce vocabulaire fleuri pour proférer leurs jurons obscènes. Quand on travaille à la ferme, il est important d'être bien équipé en jurons divers, car c'est un travail dans lequel on a tendance à s'auto-injurier copieusement. Or, aucun pro de la ferme n'a envie d'abattre ses meilleures cartes avant midi.

À la ferme où travaillait M'man, tous les jurons n'étaient pas liés au travail. Parfois, c'était juste histoire de se divertir. Ça frisait même l'art. L'un des passe-temps favoris du grand-père consistait à faire une descente de nuit dans l'étable, et à blasphémer devant les vaches jusqu'à ce que leur lait tourne en jus de pamplemousse. Quant à mon oncle, il aurait dégommé un écureuil avec pour seule arme un vocabulaire choisi.

Résultat des courses, pour le test de grossièreté, voyez avec votre propre mère. La mienne en a vu d'autres, étant précisé que je ne compte pas sa réaction quand elle lira ce passage. (Hé, M'man ! C'est juste pour rigoler !)

De toutes les dimensions, la grossièreté est la plus facile à manier. Prenez n'importe quelle situation ou presque, incorporez-y un truc grossier, et, automatiquement, vous obtiendrez un truc incongru, reconnaissable ou méchant. Sans avoir à fournir d'effort, on enrichit le comique d'une dimension supplémentaire. Voilà pourquoi on y a tant recours.

Mais la grossièreté ne va pas sans risques. D'aucuns – et ils sont nombreux – pensent que la grossièreté peut causer des dommages irréversibles chez l'être humain qui y est trop exposé. Testez la chose vous-même. Attirez deux jumeaux en leur faisant croire que vous les invitez à une petite fête. Prenez-en un des deux, enfermez-le dans un conteneur acoustique parfaitement hermétique. Puis racontez au second ce classique de l'histoire drôle :

> Tu sais ce que Saddam a dit à Bill la dernière fois qu'ils se sont croisés ?
> « Les problèmes commencent quand on sort l'artillerie lourde. »

Observez et notez la réaction de chacun des jumeaux. Le jumeau qui est enfermé dans son conteneur acoustique hermétique tambourinera sur la paroi en hurlant : «   !!! ». Traduction approximative : « À l'aide ! À l'aide ! On étouffe, dans votre caisson hermétique !!! »

Inversement, le jumeau qui aura eu des rapports directs et sans protection avec la grossièreté se transformera instantanément en expert-comptable diplômé/ dealer de crack/ trafiquant d'ivoire se promenant sur la chaussée au risque de provoquer un accident. Pas joli joli. Voilà pourquoi, dans la mesure du possible, il est recommandé de se tenir à l'écart de la dimension « grossièreté ». Toutefois, si le chant des sirènes est trop fort, sachez qu'il y a une loi que tout individu soucieux de sa sécurité personnelle se doit de respecter *impérativement*. La voici :

Loi de la grossièreté : Plus la blague
est drôle, mieux on s'en tire.

Ne maniez jamais la grossièreté en présence d'un public mixte, à moins que vos traits d'esprits n'aient la faculté de faire jaillir de leurs yeux des larmes de rire d'une puissance capable de lessiver un minibus avec l'efficacité d'un Karcher. Tout comique ne répondant pas à ces critères de qualité vous discréditera aux yeux de tous, à l'exception de vos amis fidèles qui, comme vous le savez, ont perdu tout respect pour vous depuis bien longtemps. Mais si la grossièreté employée fait rire quelqu'un, ce quelqu'un renonce instantanément, de fait, à toute velléité de jérémiade ultérieure. L'humour est un puissant bouclier contre la critique. En tout cas jusqu'à un certain point.

On tolère d'autant plus la grossièreté qu'on a le sentiment qu'on peut exercer son libre arbitre et choisir. Il ne viendrait à l'idée de personne, ou presque, d'aller se plaindre d'un roman d'amour, par exemple. C'est vous, et personne d'autre, qui décidez si vous avez envie ou pas de lire un livre cochon. Et n'allez pas dire que vous n'étiez pas prévenu. Quand on attaque un livre intitulé *J'ai été prise par un pirate borgne*, on sait à quoi s'en tenir. Mais publiez ce genre de grossièreté dans votre quotidien régional, par exemple, et les lecteurs vont se sentir pris en otage. Pour peu qu'ils tombent dessus tout à fait par hasard, ils pourraient s'estimer violés. Imaginez combien un horoscope rédigé comme suit pourrait être choquant :

Scorpion

La libido des Scorpions, par nature très portés sur la chose, sera en hyperactivité pendant toute la semaine. Si la zoophilie est un mode de vie qui vous tente – et quel Scorpion n'y a jamais songé ? –, prenez le taureau par les cornes. C'est le moment où jamais.

Pas la peine d'enfoncer le clou aussi profondément pour vous attirer des ennuis. Les dessins de *Dilbert* qui figurent ci-dessous m'ont été refusés par un certain nombre de quotidiens. Motif : j'avais utilisé le mot « trouduc » dans l'un, et une variante de l'expression familière « Ça craint » dans l'autre. Dans le contexte d'un livre, personne n'aurait sourcillé ; mais dans celui d'un journal, certains rédacteurs en chef craignaient de choquer leur lectorat.

Voici quelques plaisanteries publiées dans mon livre, *Dogbert's Big Book of Etiquette*. Aucune plainte n'a été enregistrée à ce jour. Elles n'avaient pourtant aucune chance d'être acceptées par un quotidien.

FONTAINE D'EAU POTABLE

IL EST MAL ÉLEVÉ D'APPO-SER SES LÈVRES SUR UNE FONTAINE, À MOINS D'ENTRETENIR AVEC ELLE UNE RELATION SUIVIE.

MAL ÉLEVÉ

SLURP GLOUGLOU

TRÈS MAL ÉLEVÉ!

SLURP   GLOUGLOU

BIEN ÉLEVÉ

BIEN QUE VOUS CONNAISSANT À PEINE, DÉJÀ J'AI SOIF.

ASSIS « DESSUS » (RÉSERVÉ AUX MESSIEURS)

LA COMBINAISON TEMPÉRATURE/VÊTE-MENTS MAL COUPÉS AMÈNE PARFOIS LES MESSIEURS QUI S'ASSEYENT À SE « LES » ÉCRASER EN PRÉSENCE D'HOMMES ET DE FEMMES. TROIS OPTIONS LEUR SONT OFFERTES :

SOUFFRIR EN SILENCE

FAIRE DIVERSION ET CORRIGER

C'EST QUOI CE TRUC LÀ-HAUT??

EXPLIQUER ET CORRIGER (PEU RECOMMANDÉ)

DANS UN INSTANT, JE VAIS FAIRE QUELQUE CHOSE QUI POURRA SEMBLER INHABI-TUEL...

Et maintenant, prenons une situation empruntée à ma vie personnelle – ce matin, pour être plus précis – afin de vous montrer comment on peut tirer une situation ordinaire vers le comique, simplement en y incorporant un brin de grossièreté. Au départ, cette histoire authentique était déjà méchante ; il ne lui manquait donc plus qu'une seule dimension. Comme vous allez le voir, le comique ne surgit qu'après adjonction de la dose de grossièreté. Voici une première version de cette histoire avant adjonction de grossièreté : jugez vous-même.

Avant adjonction de grossièreté : histoire assommante

Ce matin, l'élastique de mon pyjama m'a acci-dentellement échappé des doigts et je me suis fait très mal.

Vous voyez ce que je veux dire ? Humour degré zéro. Et maintenant, permettez que je vous raconte strictement la même histoire, mais en y incorporant l'élément grossier. (Cette histoire est absolument authentique.)

Après adjonction de grossièreté : histoire drôle

Je portais mon pyjama de flanelle rouge, comme c'est mon habitude en cette saison, quand, soudain, l'appel de la nature se fit sentir. Par égard pour les dames, permettez que j'explique un truc à propos des pyjamas d'homme. Pour extraire sa virilité d'un pantalon de pyjama en flanelle rouge, deux options sont possibles (étant précisé que les trous au bas de chaque jambe n'entrent pas dans la discussion). L'élégance voudrait qu'on passe par l'ouverture de la braguette spécialement prévue à cet effet. Mais cela exige une coordination que je suis loin d'avoir à des heures aussi matinales. La technique la plus efficace consiste à tirer sur la ceinture élastique, et à tout simplement baisser le pantalon. C'est la méthode pour laquelle j'ai opté. Mais, étant plutôt empoté de nature, ma main a glissé, libérant brusquement l'élastique, lequel vint méchamment claquer sur les deux parties les plus sensibles de tout mon être – et je ne parle pas de mes yeux. N'allez pas pour autant vous imaginer que mes yeux n'ont pas été sollicités, puisque, pour le coup, il se sont violemment révulsés hors de leurs orbites pour aller se scotcher sur le mur d'en face.

J'ai sautillé dans tous les sens de longues minutes, exécutant la valse de *Casse-Noisette* tout en entonnant les paroles oubliées, lesquelles donnent à peu près la chose suivante :

« AAAAIIIE!!! AIE AIE AIE!!!! WAOU WAOU
WAOUAAAAAHHH!!! »

Alors? Vous voyez qu'il a fallu incorporer une dose de
grossièreté pour que cette histoire décolle, ou pas?

De même que pour l'emploi de la méchanceté, on
obtiendra des résultats d'autant meilleurs qu'on maniera
une grossièreté subtile ou indirecte. Voici un exemple combinant entre eux un certain nombre d'éléments méchants et
grossiers, mais dont chacun, pris isolément, est en fin de
compte subtil. Et le lecteur n'a d'autre choix que de devoir
imaginer lui même le surnom en question.

La grossièreté et la vulgarité donnent de bons résultats
lorsqu'elles s'exercent hors champ, dans l'imagination du
public. Voici un exemple parlant.

Si j'avais montré concrètement le geste suggéré, cette BD
n'aurait jamais été publiée.

Le meilleur moyen de tirer son épingle du jeu, lorsqu'on manie la grossièreté dans des contextes épineux, c'est de rester dans l'allusif plutôt que d'employer effectivement le gros mot. Le gros mot ne s'en imprime pas moins dans le cerveau du lecteur – conformément à votre intention – mais, vous, vous n'avez pas commis le péché de le prononcer ou de l'écrire. Ne me demandez pas en vertu de quoi la vulgarité indirecte serait moins offensante que la vulgarité directe. Tout le monde se comporte comme si c'était le cas, alors, moi, je m'en accommode. C'est ainsi que j'ai réussi à faire publier cette bande dessinée.

SUBTILITÉ

Comme on s'en doute, le défi le plus difficile à relever, c'est la subtilité. Pas besoin de beaucoup s'user la matière grise pour transformer une situation ordinaire en quelque chose de méchant, de reconnaissable, d'incongru ou de grossier. En revanche, faire preuve de subtilité demande du travail.

N'essayons pas d'enfermer la notion de subtilité dans une définition trop contraignante. Quand un truc est subtil, ça se voit tout de suite. Le genre de truc qui ne veut rien dire mais qui en dit long. Le genre de truc qu'on aurait bien aimé trouver soi-même.

Un certain nombre de chemins classiques mènent à la subtilité. Voici ceux auxquels j'ai le plus recours :

▶ Exagération

▶ Calembour

▶ Abolition de la logique

Exagération : Se contenter de grossir le trait est insuffisant. La subtilité, c'est plus que ça. Dire un truc genre « Ce nouveau Dilbert a été écrit par l'homme le plus sexy de la Terre », par exemple, n'a rien de très subtil. Ce n'est jamais qu'une simple exagération (et encore). Une exagération ne devient subtile qu'à partir du moment où on la pousse un cran plus loin. L'idée, c'est de tellement en rajouter qu'il semble impossible d'aller plus loin. Et là, vous frappez ; le plus souvent en rajoutant une petite couche inattendue. C'est là que réside toute la subtilité, regardez :

Le premier niveau d'exagération, c'est que le chef quitte le bâtiment sans avertir les salariés qu'une alerte à la bombe a été donnée. Mais c'est un peu court pour vendre l'histoire. La couche inattendue – le truc qui aggrave son cynisme –, c'est l'achat du billet de Loterie. Difficile d'expliquer en vertu de quoi le fait de s'acheter un billet de Loterie aggrave le cynisme du supérieur hiérarchique, mais c'est ainsi que la plupart des gens l'interprètent, et donc ça fonctionne.

L'exagération est l'un de mes outils les plus précieux pour écrire mes *Dilbert*. Voilà ce que je me dis : Si le pire truc qui puisse arriver, c'est ça, qu'est-ce qui pourrait être encore pire ? J'en suis parfois réduit à faire abstraction des lois de la physique élémentaire, voire de celles de l'Assemblée nationale, pour que le truc décolle.

Imaginons par exemple que vous travailliez pour le compte d'une entreprise qui vous traite sans le moindre égard. Normalement, le pire qui puisse vous arriver, c'est qu'on vous licencie. Poussez un cran plus loin et le pire qui puisse vous arriver, c'est qu'on vous mette à mort. On y est presque. Remettez-en encore une petite couche et ça fonctionnera, comme dans cette BD.

Voici un autre exemple, tiré d'une anecdote authentique. J'ai reçu un e-mail de quelqu'un qui se plaignait que le copieur ait été installé dans la cellule de travail d'un salarié. Bien que ce soit l'exacte vérité, tout laisse à penser que c'est une exagération. Il m'a suffi de pousser un cran plus loin :

Calembour : Le calembour est un moyen relativement simple de jouer la subtilité, mais, pour autant, il n'est pas intrinsèquement comique. Ce n'est pas parce qu'on peut programmer un ordinateur pour jouer sur les mots que le résultat obtenu sera forcément drôle. Le truc, c'est d'injecter des jeux de mots là où ils risquent d'être offensants, méchants ou grossiers. C'est la dimension ajoutée qui fait qu'un jeu de mots fonctionne.

Quelques individus – espèce fort rare, il faut le dire – aiment le jeu de mots pour le jeu de mots, le jeu de mots à dimension unique. La seule chose qu'ils demandent, c'est que le jeu de mots en question soit suffisamment raffiné et complexe. D'un point de vue technique, ce culte du jeu de mots est plus une forme de critique qu'une forme d'humour.

Je m'inclus dans cette catégorie des adorateurs de jeux de mots. Et, croyez-moi, on s'y sent bien seul.

N'abusez pas du calembour, étant précisé que seuls 10 % de la population les apprécient, et qu'il est difficile de savoir à l'avance qui sont ces 10 %. La seule corrélation que j'aie été en mesure d'établir, c'est la suivante : les étudiants chics qui ont réussi à se faire admettre dans l'une des huit grandes universités privées du Nord-Est* ont un faible pour le calembour à l'état pur. En d'autres termes, « Faites un calembour, et vous serez admis à Yale** ».

Bon, cette fois, je me sens vraiment très très seul.

Abolition de la logique : La forme de subtilité la plus délicate à générer – et à mon sens la meilleure – est ce que j'appelle la « rupture de l'enchaînement logique ». Le truc consiste à prendre une situation normale et à lui imprimer un mouvement de torsion tel que l'enchaînement logique s'en trouve interrompu, mais sans dépasser un certain seuil : celui où le cerveau renoncerait à vouloir retrouver le fil. Tout le secret est là, car le cerveau est programmé pour « recoller » à tout prix les morceaux, sinon plus rien n'aurait de sens, regardez :

---

* NdT : Regroupées, aux États-Unis, sous le terme générique de « *Ivy League* ». Il existe effectivement tout un argot universitaire parallèle, aussi truculent que décalé.

** NdT : En américain, « *Use a pun, go to Yale* », jeu de mots sur « *Use a gun, go to jail* » (prends une arme, et tu iras en prison), en référence à un projet de loi américain stipulant que l'usage d'une arme à feu, même factice, serait passible d'incarcération.

Dans cet exemple, le livre *parle* de glu, c'est tout. Personne n'a dit qu'il était **enduit** de glu. Mais le cerveau est programmé pour tenter de trouver une logique à toute chose. Lorsque survient le moment de léger malaise au cours duquel votre cerveau réalise qu'il n'y a aucun morceau à recoller, il déclenche une réaction de rire. J'imagine que votre pauvre cerveau ne sait pas quoi faire d'autre.

Voici encore un exemple. Si vous ne percutez pas, l'explication va suivre.

La réplique de Richard dans le dernier dessin fait référence à un très vieux gag que voici :

> La nuit dernière, j'ai rêvé que je mangeais un marshmallow géant. Quand je me suis réveillé, mon oreiller avait disparu.

Pour quelqu'un qui n'a jamais entendu ce gag, la référence de Richard à l'oreiller n'a aucun sens. Dans ce cas précis, j'ai fait le choix délibéré de laisser certains lecteurs à la traîne. En revanche, ceux qui connaissaient le vieux gag du marshmallow ont vu leur cerveau mis dans la délicate position de devoir retrouver le fil logique entre deux histoires qui n'ont rien à voir entre elles.

L'une de mes ruptures d'enchaînement logique préférées a été inventée par un ami, un soir, il y a des années, alors que nous dînions ensemble dans un restaurant chinois. Comme le voulait la tradition de notre petit quatuor, nous en étions à éplucher le menu à la recherche d'éventuelles fautes d'orthographe et autres coquilles, avant de passer la commande. C'était devenu une compétition. Chacun épluchait frénétiquement son menu, traquant l'erreur suivante, explosant de joie à chaque nouvelle perle identifiée. Finalement, alors que nous pensions avoir passé le menu au crible et n'avoir laissé de côté aucune erreur, l'un des amis indiqua du doigt un mot parfaitement orthographié et lança triomphalement : « Regardez! Celui-là est incorrectement prononcé! »

SUPERPOSER PLUSIEURS DIMENSIONS

Si l'on part du principe que les ressorts du comique sont subjectifs, on multiplie ses chances d'arriver à faire rire en combinant au minimum deux de ces ressorts. Voici l'une de mes BD multidimensionnelles favorites. Elle combine caractère mignon, méchanceté, incongruité et – pour quiconque ayant déjà travaillé avec un consultant en tout cas – une relative reconnaissabilité. Chacun trouvera dans cette BD une raison de l'apprécier.

Maintenant que vous êtes briefé sur chacun des six ressorts, évaluons votre capacité à les identifier. Lisez l'histoire qui suit et voyez combien de ces six éléments vous arriverez à relever dans cette histoire authentique.

LA VÉRITABLE HISTOIRE DE L'ARAIGNÉE ET DU CHAT

C'était l'heure de se mettre au lit. Je bus une grande gorgée de mon verre d'eau fraîche, puis le plaçai sur la commode, à sa place habituelle. Je me blottis sous les couvertures et tendis la main pour me saisir de la télécommande contrôlant les lumières de ma chambre. (Oui, j'ai une télécommande pour les lumières de ma chambre. J'ai passé un certain nombre d'années parmi des ingénieurs, et ils ont un peu déteint sur moi. Un peu trop, même.)

Cette nuit-là, pour une raison que je ne m'explique pas, la télécommande n'était pas à sa place sur la table de nuit. Pas de souci. Je la retrouverais le lendemain. Je bondis hors du lit, éteignis les lumière à l'ancienne, et regagnai ma place bien au chaud sous les couvertures.

Tout alla comme sur des roulettes jusqu'à environ 4 heures du matin, heure à laquelle je me réveillai et constatai, à ma grande surprise, que toutes les lumières étaient allumées dans la pièce. C'était certes étrange, mais j'étais trop vaseux pour y réfléchir. Prenant conscience de ma soif, je décidai d'avaler une gorgée de mon inséparable verre d'eau. Je bois toujours de l'eau quand je me réveille la nuit car, dormant la bouche ouverte, l'humidité contenue dans mes tripes s'évapore au cours de la nuit. Quand le fond de l'air est frais, j'arrive même à générer un tapis de brouillard dans la pièce. Bref, j'ai réalisé que mes tripes fonctionnaient mieux quand on les arrose, ce que je fais régulièrement.

Je suis très fier d'arriver à localiser mon verre d'eau fraîche dans l'obscurité la plus totale. Je connais très exactement le nombre de pas depuis le lit, la hauteur de la commode, et la position approximative du verre sur celle-ci. Il m'arrive même de jouer à la chauve-souris, et d'avancer au radar en émettant des bips, lesquels ne me sont d'aucun secours. C'est la raison pour laquelle, je présume, jamais aucune chauve-souris ne vient boire d'eau dans mon verre.

Cette nuit-là, pas besoin de jouer les voyantes extralucides puisque, pour une raison mystérieuse, la lumière était allumée. Je me suis saisi du verre et, le portant à mes lèvres, me retrouvai nez-à-tentacule avec la plus grosse araignée flottante que j'aie jamais vue de ma vie.

Je n'en rajoute pas, là. Imaginez un chihuahua à huit jambes. Bien. Maintenant, imaginez ce chihuahua en train de se faire manger par une araignée. Puisque je vous dis que c'était une araignée maousse!

CE MONSTRE A BIEN FAILLI VENIR DANS MA BOUCHE!!!!

La seule chose qui m'ait sauvé, c'est la coïncidence tout à fait extraordinaire que, pour une raison que je ne m'explique pas, quelqu'un avait allumé les lumières au beau milieu de la nuit. Je compris plus tard que c'était mon chat Freddie qui s'était dandiné à travers la pièce et s'était servi de la télécommande – qui n'était pas rangée à sa place habituelle – comme d'un oreiller, d'où l'allumage fortuit des lumières. Lorsque je pris conscience de son héroïsme, il en écrasait toujours dessus.

Freddie m'avait sauvé la vie !

D'une nature optimiste, j'ai interprété les faits comme un coup de chance absolument phénoménal. La seule et unique fois où une araignée était tombée dans mon verre à eau, mon chat avait allumé les lumières et m'avait sauvé la vie. Avouez que, sur l'échelle des probabilités, c'est très fort. De deux choses l'une : soit je suis l'homme le plus verni de toute la Terre, soit mon chat Freddie s'est tapé toutes les rediffusions de *Lassie* et lui a piqué deux trois bons plans.

La version de ma copine Pam, en revanche, est toute différente : joviale, elle m'a expliqué que selon toutes probabilités, j'avais déjà avalé des milliers d'araignées, mais que, cette fois, je m'en étais rendu compte parce que la lumière était allumée.

CULTIVER LE CONTRE-EMPLOI

Si vous avez l'angoisse de la page – comique – blanche, le meilleur moyen que je connaisse pour démarrer au quart de tour consiste à imaginer les gens et les objets à l'exact opposé de ce qu'ils sont en réalité.

Prenez n'importe quel truc sensé et retournez-le comme un gant, dans un sens puis dans un autre, juste histoire de voir ce que ça donne. C'est comme ça qu'on trouve des perles, et c'est une bonne technique permettant d'enclencher son cerveau sur la fonction « création ».

DEUX QUESTIONS À SE POSER CONCERNANT TOUTE CHOSE

1. Et si les apparences étaient trompeuses ?

2. Et si la réalité était à l'exact opposé des apparences ?

Vous serez étonné de réaliser à quel point ces deux questions peuvent ouvrir l'esprit.

Cette technique est optimale lorsqu'elle est appliquée à des personnages. Prenez un personnage ordinaire et faites-en l'exact opposé de ce que serait normalement son stéréotype. Dans la mesure où c'est généralement une source d'ennuis pour les autres personnages, la partie est déjà à moitié gagnée, sans effort particulier. Incorporez une pincée d'exagération comique, et l'affaire est dans le sac. Humour instantané garanti.

Prenez un valet, par exemple : on attend d'un valet qu'il soit serviable et loyal. Quand on prie un valet d'apporter une boisson chaude, il s'empresse de vous l'apporter. Maintenant, retournez le personnage comme un gant et poussez jusqu'à l'extrême inverse. Cela nous donne un valet qui hait son employeur et qui tente de l'injurier le plus souvent possible. Son plus grand plaisir serait de lui renverser – plusieurs fois par jour, et de façon préméditée – la boisson chaude en question sur les organes génitaux. Et, pour couronner le tout, il se plaindrait d'être sous-payé.

Films de cinéma et séries télévisées regorgent de contre-emplois. Le lion du *Magicien d'Oz* est un froussard. Dans le film *Menteur, Menteur*, Jim Carrey joue le rôle d'un avocat qui ne sait pas mentir. Dans *Being There*, Peter Sellers est un simple d'esprit qui devient président. Et il y en a des centaines d'autres.

CONTRE-EMPLOIS COMIQUES

- ▶ Chef bien informé
- ▶ Médecin assassin
- ▶ Mendiant prodigue
- ▶ Roquet assoiffé de pouvoir
- ▶ Ange égoïste
- ▶ Consultant à titre gracieux
- ▶ Professeur misanthrope
- ▶ Politicien sincère
- ▶ Loup végétarien
- ▶ Psychiatre suicidaire

Voici l'une de mes BD préférées. Elle met en scène un contre-emploi tout simple : un castor fainéant.

CONSEILS POUR L'ÉCRITURE DES DIALOGUES

À un stade de votre carrière, pour une raison ou pour une autre, on vous demandera d'écrire des dialogues comiques : un sketch pour votre prochaine réunion d'équipe, un spot radio pour une pub liée à votre travail, ou encore la BD que vous dessinez bien au chaud dans votre cellule de travail sur des heures volées à votre employeur. Que vous le vouliez ou non, vous écrirez des dialogues comiques à un moment ou à un autre de votre vie. Voici quelques tuyaux qui vous aideront à mener à bien cette tâche.

Conseil n° 1 : L'individu de base est ignare, égocentrique, et le plus souvent malveillant. Gardez ceci constamment à l'esprit quand vous rédigez vos dialogues comiques.

Prêtez à chacun des personnages de vos dialogues un égocentrisme forcené, saupoudrez-le d'un trait d'ignorance, et les gens qui vous liront viendront vous trouver après coup pour vous dire : « C'était frappant de réalisme. » Le secret du réalisme, c'est l'égoïsme. Plus vous en rajoutez, plus ça sonne juste. Tartinez généreusement. Vous aurez beau en mettre et en remettre, vous serez toujours en deçà de la réalité.

Conseil n° 2 : Dans la réalité, rares sont les gens qui fonctionnent sur le schéma question-réponse. La plupart du temps, lorsqu'une question leur est posée, ils répondent de l'une des façons suivantes :

1. *Ils font exprès de répondre à côté de la question, juste pour être désagréables.*

2. *Ils ignorent la question et parlent d'eux-mêmes.*

3. *Ils font un calembour.*

4. *Ils se demandent à haute voix en quoi un truc pareil peut bien les concerner.*

5. *Ils prouvent à travers la crétinerie de leur réponse qu'ils ne sont pas en mesure de comprendre la question.*

6. *Ils s'offensent de la question.*

STYLE

Le comique ne résiste pas aux phrases compliquées. Mettez au service de votre humour le même style que celui qu'on utilise dans les courriers d'affaire efficaces. Je ne parle pas du style de vos collègues, bourré de non-mots imbuvables. Je parle du style concis et efficace des bons courriers d'affaire. Le genre de style qu'on enseigne dans les cours de correspondance commerciale. Et je ne saurais trop vous recommander de vous inscrire à de tels cours, que vous ayez l'intention de passer pour un comique ou pas. La formation terminée, vous coucherez vos idées sur le papier et elles auront l'air brillantes, sans que personne ne puisse s'expliquer pourquoi. (J'ai pris conscience du phénomène en m'inscrivant moi même à un cours de correspondance commerciale. Sérieusement, c'est l'une des meilleures choses à faire pour doper sa carrière.)

Je ne peux pas vous enseigner l'art du style commercial dans le cadre de ce livre, mais deux points méritent d'être soulignés car ils sont déterminants en matière de comique.

RÈGLE n° 1 : ÉVITER LES PHRASES INDIRECTES

PHRASE INDIRECTE
La souche a été mangée par un castor.

PHRASE DIRECTE
Le castor a mangé la souche.

Ces deux phrases disent la même chose, mais le cerveau « traite » l'information contenue dans la phrase directe plus rapidement. La différence vous semble peut-être insignifiante, mais je n'ai jamais vu d'humour efficace fonctionner sur des phrases indirectes.

RÈGLE n° 2 : RESTER SIMPLE, NE PAS SE PERDRE DANS LES DÉTAILS

Quand on parle, personne ne mémorise les détails. Débarrassez vos phrases de leurs fioritures. Une idée tout à fait ordinaire peut devenir drôle simplement par écrémage de toutes les fioritures. Démonstration :

VERSION COMPLIQUÉE (PAS DRÔLE)
Souvent, dans la vie de tous les jours, il peut arriver que des trucs très durs vous tombent dessus sans qu'on puisse très bien s'expliquer pourquoi. Toutefois, il est recommandé de ne pas s'éterniser sur ces choses et de passer à autre chose.

VERSION SIMPLE (DRÔLE)
T'es pas dans la merde !

Voici l'exemple type de la BD qui serait ruinée si l'on essayait d'y rajouter des mots pour en clarifier le sens.

LA SINCÉRITÉ, RESSORT COMIQUE

Pour rendre une situation cocasse, on peut introduire la sincérité là où, d'ordinaire, les gens auraient plutôt tendance à mentir ou à ne rien dire. L'honnêteté dans les rapports humains est tellement rare qu'automatiquement il en émane quelque chose d'incongru. Sans compter que la sincérité est souvent cruelle. On obtient ainsi deux des six dimensions du comique – incongruité et méchanceté – sans grand effort. J'ai fréquemment recours à cette méthode, regardez :

BRAINSTORMING

Le « remue-méninges » a été ainsi nommé en référence à une méthode qui fut développée au cours du Haut Moyen Âge. Cette méthode consistait à décérébrer les gens intelligents, puis à remuer les méninges encore tièdes dans une grande jarre. Les méninges étaient ensuite vigoureusement aplaties contre de grandes pierres plates, puis étendues à sécher. On faisait disparaître toute trace de circonvolution en fignolant au fer à repasser. Une fois le cerveau impeccablement lavé et recousu dans sa boîte crânienne d'origine, l'individu intelligent n'avait plus qu'à trouver de bonnes idées. Sinon, c'était la preuve irréfutable qu'on était en présence d'un hérétique ou d'une sorcière.

Cette procédure est tombée en désuétude partout, sauf en Angleterre, où, avec le temps, on a fini par lui attribuer la paternité d'inventions aussi brillantes que la bière chaude, la surimposition des colonies américaines, Twiggy, ainsi que l'art de faire tourner les Irlandais en bourrique.

Partout ailleurs, la signification du mot « brainstorming » a évolué avec le temps. Il désigne aujourd'hui un processus consistant à réunir un groupe d'individus aux idées consternantes, puis de les asseoir dans une pièce autour d'une grande table. Des consultants ont établi que, lorsqu'on réunit des gens aux idées consternantes et qu'on en fait un gros tas, on obtient – et c'est la partie la plus spectaculaire – un tas d'idées consternantes encore plus gros. Certaines sont plus consternantes que d'autres. Participez à une séance de remue-méninges et vous verrez qu'au bout d'un moment, les idées les plus putrides finissent par passer pour des traits de génie. Mais cette technique présente de nombreux autres avantages.

Lorsqu'on arrive à réunir dans un même lieu une quantité significative d'idées consternantes, ces idées se mettent à « morpher » entre elles pour créer une nouvelle génération d'idées encore plus consternantes. Voici quelques exemples montrant comment, en combinant entre elles des idées consternantes toutes simples, on peut évoluer vers des idées consternantes du troisième type, celles-là hybrides et complexes.

Idée consternante simple	Idée consternante hybride
Accorder aux salariés des crayons marqués à leurs initiales plutôt que des gratifications...	... puis faire pression sur les salariés pour qu'ils changent de nom, afin qu'ils aient tous les mêmes initiales.
Inventer une canette équipée d'une paille motorisée permettant une ingestion plus rapide...	... et adaptable sur l'allume-cigares de votre automobile.

Mon conseil : plutôt que de brainstormer avec d'autres individus, brainstormez avec vous-même. Ça fait gagner du temps, et, en plus, vous n'êtes pas obligé de rester sérieux quand vos brillants collègues font assaut d'une intelligence qui explique pourquoi les mammifères ont si mauvaise réputation. Quand on est en remue-méninges avec soi-même, la seule chose qu'on rate, c'est la compétence et le point de vue des autres. Deux choses qu'*a priori* on arrive à simuler sans avoir à fournir d'efforts démesurés.

PENSER CRÉATIF

L'une des questions que l'on me pose le plus souvent, c'est : « Comment faites-vous pour trouver une nouvelle idée de BD chaque matin ? » Comme pour la plupart des choses dans la vie, il y a quelques « trucs ». À partir du moment où l'on connaît les ficelles du métier, ce n'est pas aussi difficile que ça en a l'air. Je vais vous donner mon approche de la créativité. Je doute qu'une seule et même technique créative soit la bonne pour tout le monde, mais celle que je vais vous livrer vous donnera peut-être l'occasion d'éprouver quelque chose de neuf. À vous de juger.

Je vois les choses de la façon suivante : être créatif, c'est se débarrasser des mauvaises idées stockées dans le cerveau afin de laisser de nouvelles s'en former. La partie active du processus – celle que l'on peut développer par la pratique – consiste en quelque sorte à tirer la chasse, de telle sorte que le cerveau se vide de ses mauvaises idées pour libérer de la place pour les nouvelles.

Se débarrasser de ses mauvaises idées, c'est quand même moins vertigineux que tenter de créer quelque chose à partir de rien. « Inventer » n'est pas franchement un processus mental que tout individu est en mesure de comprendre ou de contrôler de manière directe. Mieux vaut s'y prendre de manière indirecte. C'est la raison pour laquelle aborder la créativité sous l'angle opposé – à savoir comme un processus d'élimination des mauvaises idées – peut se révéler très pratique.

À moins d'être un moine fort de dix ans d'entraînement à la méditation, votre mental est incapable de faire le vide, ne serait-ce qu'un seul instant. Une idée s'est à peine envolée qu'une autre s'empresse de combler le vide qui vient de se créer. Si la nouvelle idée n'est pas à la hauteur des objectifs que vous vous êtes fixés, ne vous y accrochez pas. Laissez-la passer. Essayez d'évaluer de plus en plus d'idées à la minute. Plus vous évaluez d'idées différentes, plus vous multipliez vos chances d'en avoir une bonne. Utilisez la loi des probabilités à votre avantage.

La méthode la plus rapide et la plus performante permettant d'évaluer une idée est d'avoir recours à ses tripes plutôt qu'à son intellect. Et quand je dis cela, je le dis au sens littéral. Les grandes idées ont un impact immédiat sur le corps. Si vous vous creusez pour faire rire, votre corps se mettra à rire lorsque la bonne idée comique surgira en lui. Si c'est une idée porteuse de charge émotionnelle que vous essayez de trouver, votre corps se crispera, ou se mettra à pleurer, ou à trembler, sitôt que la bonne idée surgira en lui. J'ai même remarqué que mon corps réagissait physiquement à des idées pas forcément liées à l'émotion – les bonnes idées commerciales, par exemple (rien que d'y penser, j'en suis tout émoustillé).

Techniquement, c'est toujours votre cerveau qui soupèse, pas votre système digestif. Mais, dès lors qu'on aborde les sphères de la créativité, le cerveau est moins apte à signaler ses préférences de manière directe. Le mieux est de capter les messages de façon indirecte, à travers les muscles, les glandes et le système circulatoire.

Être à l'écoute de son corps plutôt que de son cerveau est contraire à notre nature. Un entraînement est donc requis. Grande est la tentation de passer chaque idée qui surgit au crible d'une analyse rationnelle – consistant à peser le pour et le contre – avant de pouvoir passer à la suivante. Et il est toujours tentant de s'accrocher à une fausse bonne idée, dans l'espoir qu'une analyse plus approfondie nous permettra d'établir que, finalement, ce n'était pas une si mauvaise idée que ça. Tout cela est normal : nous sommes programmés ainsi. Tant que vous n'aurez pas obtenu des résultats satisfaisants en faisant l'expérience par vous-mêmes, vous aurez du mal à faire confiance à vos tripes pour prendre des décisions et écrémer rapidement.

Votre personnalité est certainement le facteur déterminant qui conditionne votre faculté à vous débarrasser d'une idée rapidement. Certains sont des collectionneurs dans l'âme. Ils ont une propension quasi mécanique à s'accrocher aux choses. Ils tiennent à jour des agendas, prennent des photos, et s'appesantissent sur des relations appartenant au passé. Ma personnalité est à l'autre extrême du spectre. Je vis presque exclusivement dans le moment à venir. Je ne possède pas d'appareil photo. Il m'est impossible de revoir un film que j'ai déjà vu, même si je l'ai adoré la première fois. Me débarrasser d'une idée est pour moi une chose naturelle et, la plupart du temps, facile. Et, malgré tout, je dois parfois me faire violence. Si vous êtes le genre de personne qui ne jette jamais rien, cette technique vous demandera sans doute de gros efforts.

On peut être sûr qu'une idée est mauvaise quand elle réussit le test du cerveau, mais qu'elle échoue à celui des tripes. Les idées « pas idiotes » sont celles dont on a le plus de mal à se débarrasser. Notamment une fois qu'on a passé un certain temps à les soupeser. On s'est trop investi. La dernière des choses à faire avec ce genre d'idées, c'est de demander leur avis aux autres. À leur tour, ils les trouveront « pas idiotes » et tenteront de vous persuader qu'elles sont bonnes. Une mauvaise idée « pas idiote » qu'on ne chasse pas tout de suite prend corps et s'incruste.

Le seul problème majeur que j'ai pu rencontrer à l'écoute de mes propres tripes, c'est quand une idée fait peur. La sensation de peur fait écran et empêche d'éprouver toute autre réaction physique. Cela n'a rien de dramatique en soi, à ce détail près que les idées les plus effrayantes – du moins en termes de malaise potentiel – sont le plus souvent les meilleures. Cette histoire authentique le montre clairement.

RAYMOND MOIBERT – EXPERT-CONSULTANT

J'ai été contacté par Tia O'Brien, une journaliste pigiste au *San Jose Mercury News*. On lui avait demandé d'écrire un article à mon sujet, dans mon rôle de dessinateur de BD créateur de Dilbert. Le journal lui avait demandé de trouver un angle nouveau et intéressant. Nous avons débattu quelques idées un moment au téléphone, jusqu'au moment où nous en sommes arrivés au plan le plus monstrueusement gênant jamais envisagé de toute ma vie. Évidemment, ce plan plaisait beaucoup à Tia, dans la mesure où, quelle qu'en soit l'issue, cela lui garantissait un bon papier à la sortie. Le plan était le suivant : grimé par un maquilleur-coiffeur professionnel, je tenterais de me faire passer pour un consultant de calibre international travaillant pour le compte d'une puissante entreprise. Tia m'accompagnerait en qualité d'« assistante ». L'idée, c'était de voir jusqu'à quel point j'arriverais à martyriser les top-managers avant qu'ils ne m'enduisent de goudron et de plumes.

Tia travailla ses contacts dans le secteur et nous trouva un complice ayant le sens de l'humour et du risque, un certain Pierluigi Zappacosta – oui, c'est son vrai nom –, co-fondateur et alors vice-président de Logitech International (fabricant de souris d'ordinateur et autres périphériques). Pierluigi accepta de réunir son état-major afin d'organiser une rencontre avec le célèbre consultant, nom de code : Raymond Moibert*. Deux objectifs m'étaient fixés dans le cadre de cette réunion :

---

* Si l'on part du principe qu'un chien (« *dog* ») donne Dogbert, un chat (« *cat* »), Catbert, et un rat, Ratbert, je me suis dit que, moi (« *me* » en anglais), je devais forcément m'appeler « Mebert ». Mais, bon, nous avons utilisé la prononciation française.

1. Amener les cadres à concevoir la définition d'objectif la plus longue, la plus inutile, et la plus caricaturale du jargon des affaires jamais rédigée sur cette planète.

2. Trouver des volontaires pour mettre cette définition d'objectif en musique.

Le matin du jour dit, tandis que le maquilleur-coiffeur était en train de me poser ma belle perruque brune bouffante et ma fausse moustache, je sentis mes tripes se livrer à un duel pour trouver la meilleure façon de me dissuader. Si mon déguisement me trahissait ou que mes victimes potentielles s'apercevaient de l'imposture, j'aurai gâché pas mal de temps à beaucoup de gens d'un coup. Et si je les poussais trop à bout, je risquais de me retrouver face à une pièce remplie de managers très énervés. J'avais un trac monstre. Tia décida de mettre la barre encore un peu plus haut en invitant une équipe de tournage à filmer le tout. Notre alibi face aux cadres de direction était que la vidéo qui en résulterait serait présentée ultérieurement au reste des salariés, histoire de les inciter à « acheter des actions » de l'entreprise.

Les cadres s'inscrivirent et prirent place autour d'une grande table de conférence. Pierluigi me présenta, puis s'assit pour assurer sa partie à lui du canular. Son rôle consistait à hocher affirmativement la tête, quoi que je puisse dire. Je commençai en évoquant succinctement au groupe mon parcours – mon MBA fictif à Harvard, mes expériences de consultant auprès de diverses entreprises prometteuses ayant depuis mis la clé sous la porte, et surtout mon expérience sur le projet « Goût plus blanc » de Procter & Gamble. J'expliquai comment, à l'époque où je travaillais pour P&G, j'avais découvert, dans le cadre d'une étude de marché, que les gens goûtaient souvent les détergeants et les produits nettoyants avant de s'en servir. Ma mission consistait à améliorer le goût de tous leurs produits à base de savon. Ce cheminement de pensée « hors des sentiers battus » me valut quelques murmures d'approbation dans l'assistance.

Je me dirigeai ensuite vers le chevalet de conférence, où je dessinai un diagramme constitué de trois anneaux se chevauchant les uns les autres, diagramme que j'intitulai « L'accord parfait des missions ». Les cercles portaient respectivement les noms de : « Message », « Autorité », et « Linguistique ». Le sous-ensemble commun constituait ce que j'appelai la « Zone participative ». C'était véritablement n'importe quoi, mais un n'importe quoi tellement répandu dans le monde des affaires que personne ne le remet en question ouvertement. Le groupe attendait poliment que quelque chose se dégage de ma démonstration.

Au bout d'une heure, je réussis à faire pondre aux cadres la définition d'objectif que voici :

Définition d'objectif

Objectif de la Mission des Nouvelles Opérations : lancer une étude de marché visant à mettre en évidence des opportunités d'optimisation des rapports humains sur des segments à haut potentiel, en interne comme en externe, pour dans un premier temps toucher des marchés porteurs englobant cette mission, puis, au cours d'une seconde phase, explorer de nouveaux paradigmes en vue de sélectionner, communiquer et s'implanter sur les niches résultant de cette étude.

À ce stade, ma crédibilité et mon charisme étaient suffisamment assis pour que je puisse solliciter des volontaires capables de mettre en musique cette définition d'objectif. J'expliquai que, bien que la chose puisse paraître a priori loufoque, il est de notoriété publique que l'on mémorise mieux des mots quand ils sont mis en musique. Les exemples sont légion. Deux cadres confessèrent avoir quelques talents de musiciens et – puisqu'ils avaient l'esprit d'équipe – acceptèrent d'assumer la mise en musique de la définition d'objectif. Magnanime, j'arrachai mon postiche et ma fausse moustache et me révélai sous ma véritable identité. L'effet de choc passé, ce fut un éclat de rire général et tout le monde le prit bien. Tia en tira un article très remarqué lors de sa publication et, à ce jour, personne n'a essayé d'attenter à mes jours. On n'aurait pas pu rêver meilleur dénouement. Heureusement pour moi, Logitech est une entreprise sûre de réussir et dotée d'un sens de l'humour développé (j'aurais obtenu les mêmes résultats dans n'importe quelle autre entreprise de la planète, j'en suis sûr ; exception faite, peut-être, de la partie sens-de-l'humour-développé).

Si j'avais été à l'écoute de mes tripes, je ne me serais probablement pas lancé dans cette entreprise créative. Ce que l'expérience m'a appris, c'est que les meilleures idées s'accompagnent généralement d'une réaction de peur. Une idée créative qui n'expose à aucune gêne potentielle n'est le plus souvent pas si créative que ça. Quand on aborde les rivages de la créativité, la peur – tant qu'il ne s'agit que de la peur d'être gêné – est souvent un symptôme de bon augure.

Le délicat dessinateur de BD
Scott Adams

Scott Adams grimé en Raymond
Moibert, super-consultant

photos Richard Hernandez/*San Jose Mercury News*

Le magicien du consulting Raymond Moibert en pleine action

photo Richard Hernandez/*San Jose Mercury News*

MIRACLE DE LA CRÉATIVITÉ À LA CHAÎNE

La plupart des gens seraient très gênés d'enregistrer un taux d'échec de 80 %. Moi pas : 80 %, pour moi, c'est plutôt une bonne semaine. Si j'arrive à faire rire une fois sur cinq avec mes dessins de *Dilbert*, je sais qu'on me pardonnera les quatre autres. Tout comme la plupart des formes de créativité, l'humour bénéficie d'un effet « lune de miel ». Apprenez à exploiter le filon.

J'en connais qui font une suggestion brillante à leur chef, et qui se découragent dès qu'elle est descendue en flèche. Ou, pire, ils matraquent leur supérieur avec ces mêmes suggestions brillantes, par définition vouées à l'échec, dans l'espoir que l'obstination dont ils font preuve finira par payer. C'est là une stratégie perdante.

Une meilleure approche consiste à créer encore *plus* d'idées que votre chef détestera. Faites vingt nouvelles tentatives. Ne vous préoccupez pas du nombre de refus que vous essuierez. Tôt ou tard, de manière parfaitement accidentelle, vous finirez par décrocher le pompon avec une idée qui séduira votre chef. On se rappellera de vous non pas comme d'un individu qui a eu dix-neuf mauvaises idées, mais comme le salarié qui a eu *LA* bonne idée. Les mauvaises idées qui ne sont pas mises en œuvre tombent très vite dans l'oubli.

Proposez vingt autres nouvelles idées. Si vous avez de la chance une deuxième fois, vous serez catalogué comme le salarié qui a toujours de bonnes idées, en dépit de votre taux d'échec de 95 %. Rien ne vous empêche, au passage, de ressortir la fameuse mauvaise idée qui vous avait mis la honte, pour la remettre sur le tapis, cette fois auréolé du succès que vous confère votre spectaculaire parcours professionnel.

J'ai récemment assisté à une réunion au cours de laquelle un homme d'affaires renommé a pris la parole. L'un des membres du public comptait parmi ses relations quelqu'un qui, à une époque, faisait partie du même comité de direction que cet homme d'affaires. Cette personne m'a expliqué que l'homme d'affaires en question était connu pour proposer dix nouvelles idées à chaque réunion, parmi lesquelles neuf au minimum étaient absolument consternantes. Le nom de cet homme d'affaire est Ted Turner, le fondateur de la chaîne d'information continue CNN, devenu milliardaire.

Colle n° 1 : Nommez une seule *mauvaise* idée
de Ted Turner, n'importe laquelle.

Colle n° 2 : Comment pouvez-vous affirmer
avec certitude qu'*aucune* de ses idées
ait jamais été mauvaise ?

Si vous avez envie de créer, créez un maximum. Libérer son énergie créatrice, ce n'est pas la même chose que jouer aux machines à sous. Aux machines à sous, ne pas gagner signifie qu'on rentre chez soi plumé. S'agissant de créativité, celui ou celle qui ne gagne pas s'en tire à peu près aussi bien que celui ou celle qui n'a pas joué. Être créatif ne présente quasiment aucun inconvénient, à l'exception d'un seul : la critique.

9

Gérer les critiques

Enfant, j'ai vu un film dans lequel tous les habitants de la Terre se métamorphosaient en dangereux zombies, à l'exception d'un seul. Chaque soir, la nuit venue, les zombies encerclaient sa maison et tentaient d'en faire un zombie à son tour. Quand on est créatif, on se trouve très exactement dans la position de ce type-là. À partir du moment où l'on crée quelque chose de nouveau – ne serait-ce qu'une idée – les zombies (ci-dessous dénommés les critiques) font le siège de votre bureau, ou de votre demeure, et tentent de vous enrôler de force dans leur secte de la normalité. De fait, vos détracteurs sont en mesure de réduire à néant tout le bonheur que vous pouvez tirer de l'acte créatif.

Voici une recette toute simple pour les gérer :

RECETTE POUR GÉRER UN CRITIQUE

Ingrédients : Quatre gousses d'ail, une petite croix, un bouquet de persil frais.

Mangez les quatre gousses d'ail, brandissez la croix sous le nez du critique et dites : « Regarde ce que je viens juste de faire. Ça te plaît ? » Le critique sera contraint à l'immobilité tant qu'il n'aura pas identifié les défauts inhérents à votre concept. Respirez normalement jusqu'à entendre le bruit sourd du crâne du détracteur percuter le sol. Mangez le bouquet de persil pour faire disparaître l'arme du crime.

Vos convictions éthiques vous interdisent peut-être d'avoir recours à ce type de technique. Certains, par exemple, ont un contentieux moral à régler avec le persil. Si vous êtes de ceux-là, il faudra opter pour une stratégie différente. Mais, avant toute chose, il convient d'identifier le type de critique auquel vous avez à faire. On distingue quatre profils de critiques :

PROFILS DE CRITIQUES

1. Ceux qui critiquent tout systématiquement (esprit de contradiction)

2. Ceux qui éprouvent du plaisir à faire souffrir (sadisme)

3. Ceux qui sont agressifs sans raison valable (démence)

4. Ceux qui expriment des critiques justifiées (enfoirés)

CRITIQUES MUS PAR L'ESPRIT DE CONTRADICTION

De tous les profils de critiques, ceux qui sont mus par l'esprit de contradiction sont les plus faciles à gérer. Leur motivation première est un besoin monomaniaque de vous rabaisser pour faire la démonstration de leur excellence à vos dépens. Pour celui ou celle qui a l'esprit de contradiction, rien n'est plus excitant qu'une bonne idée émanant de quelqu'un autre. Dites qu'un chiot, c'est plutôt sympathique, et ils vous diront que les chiots, ça vous bouffe vos pantoufles. Dites que le soleil, ça vous fait du bien, et ils vous répondront que, le soleil, ça ride la peau.

Par chance, l'individu contrariant est doté d'une grande faiblesse de caractère : ses réactions sont faciles à prévoir. J'ai travaillé à une époque avec un ingénieur contrariant. Tout projet susceptible d'avoir un impact sur sa juridiction devait lui être préalablement soumis pour accord. À la dixième tentative consécutive où je le vis descendre mes idées en flèche, je réalisai que l'individu ne se contentait pas de faire preuve d'un pessimisme acariâtre : c'était un détracteur compulsif. À compter de ce jour, je lui présentai toute nouvelle proposition en annonçant d'emblée qu'un tel plan engendrerait un investissement démesuré, et qu'en termes de faisabilité la chose était hautement improbable. Il se lançait alors dans un vibrant plaidoyer, en faveur de mon idée, qui se soldait par un accord enthousiaste. Une fois appelé à d'autres fonctions et son existence parmi les vivants ne m'étant plus d'aucune utilité, je lui pariai qu'il n'était pas capable de retenir sa respiration pendant trente minutes. Les inspecteurs chargés de l'enquête conclurent au suicide*.

CRITIQUES SADIQUES

Les critiques sadiques sont les plus difficiles à gérer, notamment au travail, car il est impossible de leur échapper. Inutile d'essayer de ramener un sadique à la raison, dans la mesure où le sadique tire son plaisir du mal qu'il peut faire. Montrez le moindre signe de faiblesse, et vous ne ferez qu'attiser son désir de recommencer. Mon conseil sera donc le suivant : face à un sadique, ayez recours à la stratégie consistant à feindre la possession par les Forces du Mal. Commencez par vous poser cette question : « À ma place, que ferait Satan ? » Puis, lancez-vous. Faites tourner votre tête à 360° et crachez un peu de vomi, cela ne manquera pas de laisser une impression durable dans l'esprit de ceux ou celles qui avaient des velléités de venir vous chercher des poux dans la tête. L'objectif consiste à former tous les sadiques du service à réorienter leur malveillance ailleurs.

Le sadique :	Votre idée ne tient pas la route. Elle est vouée à l'échec.
Vous :	Sorte de sac de purin de macaque prétentieux frappé de myopie intellectuelle, va ! Ton haleine de chacal pue comme

---

* Pas vraiment, mais vous imaginez, si ça pouvait être aussi simple ?

mille et un cadavres en putréfaction ! !
Une fois que je me serai fait des millions de dollars avec mon idée en béton, j'irai cracher sur ta tombe ! BOUAHAHAHAHA ! ! !

Si le sadique se plaint de votre agression verbale, prenez un air surpris et dites : « Oh ! ... Je croyais que c'était à cela, qu'on jouait. » Il est clair que la stratégie dite de la possession démoniaque ne peut déboucher sur aucune issue productive. Mais elle peut vous soulager, ce qui en soi est déjà une récompense.

CES GENS QUI VOUS AGRESSENT SANS RAISON VALABLE

Créez quelque chose, n'importe quoi – notamment quelque chose de drôle –, et il y a de grandes chances pour qu'on vous agresse sans raison valable. Et quand on vous agresse sans raison valable, vous passez pour un « insensible ».

Pas plus tard qu'il y a deux minutes, j'ai reçu la plainte d'une personne que le dessin suivant avait choqué, chose que je ne m'explique pas.

J'ai essayé de m'intéresser à ce que les autres peuvent ressentir, mais il se trouve qu'il y a six milliards d'individus qui traînent la savate sur cette Terre, et qu'il n'y en a pas deux qui sont faits sur le même moule. Au demeurant, mon propre cerveau est à peine capable de reconnaître les exigences de mon propre corps. Je veux dire par là que, quand ça me démange quelque part, il m'arrive de me gratter à trois endroits différents avant de trouver le bon. Parfois j'ai l'impression d'être fatigué, je grignote un truc sur le pouce et, soudain, je ne suis plus fatigué du tout. Apparemment, je ne suis même pas capable de faire la différence entre la fatigue et la faim. Alors, si déjà j'ai du mal à être à l'écoute de mon propre corps, vous imaginez bien que ce que peuvent ressentir les autres est pour moi un parfait mystère. C'est d'ailleurs sans espoir. Et pourtant, la société attend de moi une sensibilité accrue. J'en suis donc réduit, le plus souvent, à simuler.

Ma grande chance, c'est d'avoir choqué tellement de gens au cours de ma carrière que j'ai appris à identifier les schémas susceptibles de me causer des ennuis. C'est la raison pour laquelle j'ai écrit ce chapitre. Il s'adresse aux gens dont l'indifférence aux autres est sans borne, mais qui n'ont pas encore offensé suffisamment d'individus pour être en mesure de reconnaître ces schémas.

Dans ce chapitre, je vous livrerai certaines réactions d'énervés (certaines vous laisseront pantois) que m'ont values les BD de *Dilbert*. Vous vous ferez ainsi une idée de ce qui met les gens dans tous leurs états. Une fois qu'on sait identifier les schémas qui choquent les gens, on apprend à éviter soigneusement ces schémas, donnant ainsi l'impression fictive qu'on est un être délicat. Avec le temps, on apprend à exploiter cette sensibilité de façade pour en tirer avantage sous forme de respect usurpé, d'amitiés superficielles et d'un sentiment aigu de supériorité vertueuse.

Le passage qui suit est interactif. Devinez qui a pu s'offusquer de cette BD :

Ce qui m'a joué un tour, c'est le calendrier. La semaine où ces dessins ont été publiés s'est révélée être mal choisie pour se payer la tête des bonnes sœurs. Cette semaine-là était celle de l'enterrement de Mère Teresa. (Je dessine mes BD des mois à l'avance et, la plupart du temps, j'ignore totalement lesquels vont être choisis le jour dit.)

Le télescopage avec Mère Teresa ne semble pas avoir été la seule cause de griefs. Jetez un œil aux e-mails que j'ai reçus à ce moment-là, et demandez-vous combien de ces plaintes vous auriez été capable d'anticiper.

De : [respect de l'anonymat]
À : scottadams@aol.com

J'apprécie *Dilbert* depuis le premier jour où il a fait son apparition dans mon quotidien. Toutefois, je dois dire que je suis très déçu, et très choqué, par le scénario publié ce jour dans le *Chicago Tribune*. J'ai dans mes connaissances beaucoup de personnes qui sont obligées de prendre l'avion pour leurs déplacements professionnels et je crains de ne pas bien saisir le comique, et encore moins les réjouissances potentielles, que peut engendrer la perte d'un être humain dans une catastrophe aérienne. Je dirais même que c'est le comble du mauvais goût – que le crash se soit effectivement produit ou pas. Passez à une nouvelle histoire, vite !

De : [respect de l'anonymat]
À : scottadams@aol.com

En ce jour où le monde entier pleure Mère Teresa et où des funérailles nationales lui sont organisées à Calcutta, il nous semble que c'est faire preuve d'une inspiration bien pauvre que d'aller ironiser sur les religieuses. Plus que le contenu en lui-même, c'est le choix du moment qui est ici remis en question.

Votre éditeur et vous-même auriez dû faire en sorte de programmer cette parution à un moment mieux choisi, afin d'éviter de tomber juste au moment des funé- railles. Votre humour particulier nous a souvent enchantés mais, cette fois, vous avez passé les bornes.

De : [respect de l'anonymat]
À : scottadams@aol.com

Votre bande dessinée de ce jour est extrêmement insultante pour tous ceux qui comptent parmi leurs proches une victime de catastrophe aérienne. En outre, c'est faire preuve d'un manque de respect pour toutes les religieuses. À l'heure où le monde entier pleure Mère Teresa, votre humour est cruel et déplacé. Le monde entier attend vos excuses.

De : [respect de l'anonymat]
À : scottadams@aol.com

Permettez-moi de commencer en précisant que, d'habitude, je trouve vos bandes dessinées très amusantes. (Je parie que vous attendez le « Toutefois ». Eh bien, le voici...) TOUTEFOIS, la bande dessinée publiée le 13/9/97 est d'un mauvais goût notoire. Eu égard à la récente disparition de Mère Teresa, cela confine même à l'obscène. Que ces dessins aient été réalisés avant la disparition de Mère Teresa n'entre pas dans la discussion ; vous avez trouvé le moyen de ridiculiser les deux seuls groupes que l'on peut encore se permettre de fustiger en public tout en restant politiquement correct – les catholiques et les gros.

Il est indéniable que les nonnes font peu d'aérobic ; elles dévouent tout leur temps à la prière, à l'enseignement religieux et à l'enseignement tout court. On serait en droit de penser que c'est suffisant pour les mettre à l'abri d'un humour aussi cruel.

Je vous en prie, n'essayez ni de motiver ni de justifier vos actes après coup – cela vous aide peut-être à dormir la nuit, mais, personnellement, je n'ai pas de temps à y consacrer.

> Je prie pour que vous preniez conscience de l'indéli-
> catesse de cette bande dessinée, et pour que vous
> vous repentiez de l'avoir commise.

La pire des choses à faire quand on vous accuse d'être indifférent à la souffrance des autres, c'est de bâtir votre défense autour d'arguments intelligents. Je pourrais par exemple avancer que monter au Paradis, c'est le rêve de toute religieuse. De même que sauver une vie humaine. Du point de vue d'une nonne, ma bande dessinée décrit une journée idéale. Regardez-la avec les yeux de la raison, et vous verrez que ce n'est rien d'autre qu'une fable inspirée se terminant sur un « happy end ». Bon, il est certain que je *pourrais* construire ma défense autour de ce type d'arguments, mais je m'en garderai bien, car j'ai appris une chose : les gens qui sont furieux après moi sont totalement étanches à ma logique implacable. Pour une raison que je ne m'explique pas, faire la preuve de son intelligence est un truc qui met les gens sur les nerfs.

De loin en loin, il m'est arrivé de repousser les accusations d'indifférence portées contre moi, en signalant que c'était une formidable marque d'indifférence que d'oser m'accuser d'indifférence, sans prendre la peine d'essayer de comprendre totalement la démarche qui m'anime. Je finis généralement par exprimer le souhait que les indifférents de mon espèce puissent un jour être appréciés pour ce qu'ils sont, plutôt que d'être étiquetés et réduits à des stéréotypes.

Si vous songez à avoir recours à cette approche, laissez-moi vous dire que c'est un combat perdu d'avance.

S'agissant de répondre du crime allégué d'indifférence, je ne connais qu'une seule technique efficace : accuser l'accusateur d'un crime nommé correction politique. Le « politiquement correct » est un concept totalement vide de sens, exactement comme l'« indifférence ». L'un et l'autre sont parfaitement stériles, dans la mesure où, l'un comme l'autre, ils s'appliquent à tout être humain sur cette Terre. Soyons réaliste : toute personne dont on diffame le groupe démographique se met à geindre. Nous sommes tous « politiquement corrects ». En d'autres termes, c'est comme si l'on accusait un chien d'avoir le corps couvert de poils. Et pourtant, aux yeux de certains, l'étiquette « politiquement correct » est tellement lourde à assumer qu'immédiatement ils retirent leurs accusations d'indifférence et vous présentent des excuses pour avoir été si grincheux. Voici encore un parfait exemple démontrant comment la meilleure arme pour terrasser la stupidité est encore la stupidité. On peut le déplorer, mais c'est ainsi que cela fonctionne. Alors, tant qu'à faire, exploitez la chose à votre avantage.

Considérons une autre BD qui, au moment de sa création, m'avait semblé parfaitement inoffensive. Voyez si vous arrivez à identifier l'élément choquant.

Plusieurs lecteurs m'ont écrit pour me traiter d'espèce de « porc blanc raciste », et autres appellations à l'avenant, en référence à mon allusion à la Corée du Sud. Je *pourrais*, si je *voulais*, avancer le fait que quiconque me traite de blanc fait preuve d'une désobligeance rare, dans la mesure ou j'ai 1/128e de sang amérindien qui me coule dans les veines. Ce n'est certes pas suffisant pour ouvrir mon propre casino, mais ce n'est pas non plus ce que j'appellerais « blanc ». Hélas, comme on l'aura appris au cours du paragraphe précédent, cet argument-là ne ferait que rendre mes détracteurs plus furieux encore. Et je doute que cela puisse ravir les Indiens d'Amérique ou les opérateurs de casinos. C'est pourquoi je ne me lancerai pas dans une controverse de ce type.

Voici une BD qui a provoqué des tempêtes sous des crânes. Essayez de deviner pourquoi.

Si vous croyez que j'ai eu les collectionneurs d'autographes sur le dos parce que j'ai insinué qu'ils étaient crédules, vous vous trompez. Aucun n'a pipé mot. À ma grande surprise.

En revanche, les *marchands* d'autographes me sont tombés dessus à bras raccourcis. Plus d'un m'a écrit pour me signaler qu'il ne commercialisait pas de contrefaçons. Un marchand m'a même expliqué que chaque pièce était livrée avec un certificat d'authenticité signé attestant que l'autographe n'était pas une contrefaçon (si, si, sérieux, il a dit ça).

Les lecteurs les plus courroucés m'accusaient d'« irrévérence », voire d'« attitude insultante » sur la personne de Jésus-Christ. Certains m'ont même accusé de « railler » la religion.

J'*aurais* pu, si j'avais voulu, leur opposer le raisonnement suivant : si Jésus tombait sur cette BD, s'en offusquerait-il ? Ou alors rirait-il un bon coup et reprendrait-il son chemin pour aller sauver des âmes, après m'en avoir demandé l'original ? Je pense qu'il rirait de bon cœur et qu'il me donnerait quelques *backstages** pour son prochain sermon. Peut-être qu'il demanderait l'original (à moins qu'il soit plutôt un fan de Ziggy**). Si j'étais suffisamment naïf pour vouloir me lancer dans une palabre, je poserais la question rhétorique suivante : ne serait-on pas en droit d'attendre des disciples de Jésus qu'ils aient les même priorités que Jésus lui-même ? C'est pas ça, l'idée ?

Sagement, j'ai décidé de ne pas entrer dans ce débat.

Alors, ce schéma qui provoque la colère chez les gens, quel est-il ? Ce qui compte, ce n'est pas ce que l'on dit à tel ou tel sujet, c'est le contexte dans lequel on le dit. J'appelle ce problème le problème de « proximité ». C'est le concept le plus important à intégrer si vous voulez faire figure de « sensible ».

Le problème de proximité surgit quand on place dans un même environnement deux concepts incompatibles. Concernant la BD des religieuses, la mort de Mère Teresa était trop récente. Le dessin avait beau n'avoir strictement aucun rapport avec Mère Teresa, la proximité exacerbait son caractère choquant.

Dans celui de la Corée du Sud, j'ai fait référence à ce pays au beau milieu d'une BD traitant de comportement peu éthique, de cruauté, d'ignorance et de stupidité. Le fait qu'aucun de ces traits de caractères négatifs n'ait été attribué aux Sud-Coréens n'entre même pas dans la discus-

---

* NdT : Étroitement lié à la culture rock, et par extension à tout spectacle attisant l'hystérie des « fans », le *backstage* est le très convoité sésame permettant l'accès en coulisses, et donc l'approche de la star. Accessoire indispensable de la groupie, il se présente sous la forme d'un badge de tissu nominatif que l'on se colle, ou clippe, au revers.
** NdT : De même que *Dilbert* et autre *Charlie Brown*, *Ziggy* est un de ces personnages de BD lunaires qui sévit dans les quotidiens américains. L'auteur file par ailleurs la métaphore de Jésus, rock star, en évoquant le David Bowie androgyne du début des années 70, en référence à son album culte « Ziggy Stardust », contant la grandeur et la décadence d'une star du rock.

sion : la proximité [attributs négatifs – Sud-Coréens] a suffi à ce que les gens fassent l'amalgame.

Dans l'histoire des collectionneurs de fétiches sportifs, j'ai commis l'erreur de mêler Jésus à une BD traitant de comportement peu scrupuleux et de crédulité. Je n'ai pas impliqué Jésus dans quoi que ce soit de négatif, mais l'erreur que j'ai commise, c'est d'omettre de le tenir à distance respectueuse. Les gens l'ont très mal pris, sans pouvoir expliquer clairement pourquoi. Il s'agit d'un pur problème de proximité.

La plus grosse erreur de proximité que j'ai commise est une série de dessins de *Dilbert* mettant en scène Richard en train d'accuser réception d'une épouse venue de la mythique contrée d'Elbonie, commandée sur un catalogue de vente par correspondance.

Les gens ont été prompts à trouver cette BD empreinte de symbolisme. Le problème, c'est que le symbolisme en question n'était pas dans mes intentions. Dans mon esprit, la truie n'était qu'une simple truie, même si c'était une truie dotée de parole. Ce n'était nullement une métaphore de quoi que ce soit. Simplement, je me suis dit que ce serait drôle que Richard, en ouvrant son colis, s'aperçoive que la société de vente par correspondance l'avait escroqué et lui avait posté une épouse non humaine. Pour moi, c'était juste une façon intelligente d'épingler les abus de la VPC.

Malheureusement, les gens ont vu dans cette BD des messages subliminaux. Les femmes m'ont incendié, m'accusant d'avoir insinué que toutes les femmes étaient des truies. Ceux qui ont effectivement pris femme par correspondance m'ont incendié pour avoir insinué que leur épouse était une truie. Et les agences matrimoniales m'ont incendié pour avoir insinué que tous leurs clients étaient des porcs. Mais la lettre au goût étrange et venu d'ailleurs que je préfère est de loin celle-ci :

Cher M. Scott Adams,

Cela fait de nombreuses années que je suis une fidèle lectrice de *Dilbert*. Pourriez-vous m'expliquer la signification de la BD parue le 9/1/97 dans les pages du *Dallas Morning News* ? Cette condescendance s'adresse-t-elle aux gens en général ? Ou fait-elle référence à l'argot afro-américain appelé « *Ebonics* » ? J'ai épluché le répertoire du Net listant tous les pays du monde, et nulle part il n'est fait mention de l'Elbonie. Qu'entendez-vous au juste par « modérons nos espérances afin de ne pas être déçu » ? Et le groin ? Fait-il référence à la physionomie d'un visage afro-américain qu'on opposerait à celle d'un visage européen ?

J'attends avec grande impatience une réponse de votre part.

Une fidèle lectrice,
[respect de l'anonymat]

Comme je n'ai jamais répondu à ce courrier, j'aimerais profiter de l'occasion pour le faire ici :

Chère [respect de l'anonymat],

T'AS PÉTÉ LES PLOMBS, OU QUOI ? ? ? ? !!!!

Cordialement,
Scott Adams

Le secret, pour feindre l'obligeance, c'est de renoncer à tout espoir que quiconque puisse un jour réagir de façon rationnelle à ce que vous pouvez dire ou faire. Personne n'est rationnel quand il s'agit de trucs qui lui tiennent à cœur. Moi pas, en tout cas. Vous non plus. Si vous voulez éviter d'être taxé d'indifférence, évitez le problème de proximité et vous éliminerez 80 % de la pseudo-indifférence qu'on vous reproche.

Mais, quelle que soit la prudence dont on peut faire preuve, on n'est jamais à l'abri d'une surprise. Dans mon *Dilbert* intitulé *Prophéties pour l'an 2000. Le XXIᵉ siècle sera crétin ou ne sera pas**, j'ai émis l'idée que les gens qui couchent sur le papier les objectifs qu'ils se sont fixés obtiennent de meilleurs résultats que ceux qui ne le font pas. Ça vous pose un problème, à vous ? Parce que ça en pose à quelques-uns. En voici un qui est très représentatif.

De : [respect de l'anonymat]
À : scottadams@aol.com

Votre façon de promouvoir les techniques d'affirmation m'a beaucoup déçu. Le « pouvoir » à la source duquel vous puisez n'est qu'un élément de la panoplie New Age, dont les rouages sont manipulés non par vous, mais par l'ennemi de nos âmes. Il arriverait à vous faire croire que vous êtes capable de provoquer certains événements, alors que, pendant tout ce temps, on vous donne ce que vous demandez simplement dans le but de vous empêcher de servir notre Sauveur, Jésus-Christ. La Terre et tout ce qu'elle

---

* Éditions First, 1998.

porte est entre les mains de Dieu, et nous ne sommes pas ici pour satisfaire nos désirs. Nous sommes ici pour rendre gloire à Dieu à travers chacune de nos actions. Dieu *est* la réalité.

CRITIQUES JUSTIFIÉES

Les critiques les plus redoutables sont celles qui sont fondées. Si vous êtes le destinataire de critiques fondées, tout l'amour et le respect qu'on vous porte vont partir à vau-l'eau. Par chance, il est possible de rectifier le tir, en utilisant votre roublardise pour accroître de façon notable cet amour et ce respect parfaitement usurpés. Laissez-vous guider par ces deux bandes dessinées.

▶ NORMAN A UN PROBLÈME

Un critique qui dit vrai, ça peut être exaspérant. Mais un critique qui a tort, c'est pire. À chaud, comme ça, on est parfois saisi d'une envie d'aller s'en choper un, de lui scotcher de puissants explosifs sur tout le corps, et d'immortaliser la déflagration en vidéo pour en faire un économiseur d'écran pour son ordinateur. Mais c'est illégal dans la plupart des pays, à l'exception du Texas, où là, on peut s'en tirer si on arrive à prouver que le critique tentait de s'introduire chez vous par effraction. Pour ceux d'entre vous qui ne vivent pas au Texas, mon conseil sera donc le suivant : faites comme moi, et utilisez vos détracteurs comme une source de revenus personnels. Ce chapitre vous servira de modèle.

Le critique Norman Solomon a récemment écrit un livre intitulé *The Trouble With Dilbert*. Il s'agit d'un ouvrage érudit analysant la menace que Dilbert fait peser sur la civilisation. Une attention toute particulière a été accordée à la cupidité, au cynisme et à l'hypocrisie de l'auteur. J'en ai été profondément blessé, car, au fond de mon cœur, je sais bien que je suis effectivement cupide et cynique, mais pas hypocrite.

Quand le livre de Solomon est sorti en librairie, les médias, toujours à l'affût d'une histoire saignante sur le thème « l'homme est un loup pour le Dilbert », se sont jetés en masse sur le sujet.

Dans un article largement diffusé par Associated Press, le journaliste Michael Hill résume les divers griefs de Solomon, ce qui vous dispense de lire le livre lui-même :

1. *Dilbert* se paie la tête des travailleurs de base et des cadres moyens, comme s'ils étaient les seuls responsables de l'incompétence qui règne dans les bureaux

2. À une époque où les réductions d'effectifs et autres abus de pouvoir des décideurs sont devenus la norme, *Dilbert* évite soigneusement d'aborder le problème des dirigeants.

3. Adams est favorable à la mise en œuvre de plans sociaux.

4. Adams a le cynisme de s'en mettre plein les poches en accordant la franchise de ses créations à n'importe qui.

5. Loin d'être une arme contre le radotage décérébrant du monde des affaires, *Dilbert* lui offre au contraire son meilleur outil de propagande.

Je me souviens du personnage de la regrettée Gilda Radner dans *Saturday Night Live*. Elle y interprétait le rôle d'une femme un peu dure de la feuille – une certaine « Roseanne Roseannadanna » – qui se lançait dans de vibrants et interminables monologues dénonçant les pseudo-injustices verbales qui lui était faites. Lorsque, après coup, on lui signifiait qu'elle avait simplement mal entendu ce qu'on lui avait dit, elle achevait son numéro avec sa fameuse réplique finale : « Ça ne fait rien ! » Pour autant que je puisse en juger, Norman se trouve dans la même situation.

Tout a commencé le jour où un journaliste m'a posé la question suivante : « Scott, puisqu'à longueur de livres et de bandes dessinées vous lancez des attaques contre les réductions d'effectifs dans les grandes entreprises, voyez-vous dans ce type de stratégies un seul point positif ? »

C'est là qu'en termes de communication j'ai fait la plus grosse gaffe de ma vie : j'ai donné mon point de vue sans le travestir. (SVP, veuillez insérer en pensée le bruit que fait Homer Simpson quand il dit : « *DOH !** ») J'ai répondu que mettre en œuvre des plans sociaux permet aux entreprises d'abaisser les coûts, donc de les rendre plus compétitives et de faire monter le cours de l'action. Du point de vue d'un actionnaire, ce sont là des points positifs. J'ai conclu en faisant observer qu'à la Pacific Bell, mon ex-employeur, la bureaucratie avait marqué un net recul dès l'instant où l'on avait commencé à éclaircir les rangs des dirigeants inutiles.

Je n'ai pas abordé les aspects négatifs du licenciement, qui sont les plus évidents – vies brisées, traumatisme psychologique, peur chevillée au ventre, et, pour ceux qui en réchappent, alourdissement de la charge de travail. La façon dont la question m'avait été posée impliquait que c'était une évidence pour tout le monde. Les livres de *Dilbert* ne parlent que de ça !

Mes commentaires sur les « aspects positifs de la réduction d'effectifs » se retrouvèrent imprimés dans une publication.

---

* NdT : Encore une perle américaine. Onomatopée chère à l'auteur servant à exprimer le crétinisme profond de la personne qui l'éructe, le plus souvent bruyamment et en tirant la langue.

Norman les lut et m'appela pour me demander confirmation. Avais-je effectivement dit que les réductions d'effectifs avaient des points positifs ? Je confirmai mes dires (re-« *DOH!* »). Je n'avais pas réalisé qu'à ce stade, le contexte originel – mes permanentes offensives dénonçant les effets désastreux du licenciement sur le salarié – s'était miraculeusement évaporé. J'étais soudain – pour reprendre les termes de Norman – « favorable aux réductions d'effectifs ».

Fort de ce précieux élément de désinformation, Norman était maintenant en mesure de reconstituer le puzzle : il était clair que le créateur de *Dilbert* était un suppôt du capitalisme oppresseur de la classe ouvrière. La preuve la plus accablante en était que de nombreuses grandes entreprises payent pour certaines activités dérivées de *Dilbert* (franchises, conférences, etc.). J'étais appointé par l'ennemi ! De toute évidence, cette piste de l'argent me distinguait de tous les autres dessinateurs de BD publiés, lesquels – et c'est un fait largement ignoré – tirent la totalité de leurs revenus des parcmètres qu'ils fracturent.

> **Conseil à Norman :** De nombreux quotidiens, magazines et maisons d'édition font partie de groupes puissants. N'acceptez leur argent à aucun moment de votre carrière d'auteur : vous perdriez toute crédibilité.

Norman et son éditeur publièrent un communiqué de presse et orchestrèrent une campagne médiatique pour promouvoir les ventes de leur pamphlet anti-*Dilbert*. Soudain, le téléphone se mit à crépiter chez moi. Des reporters me demandaient de répondre aux accusations formulées à mon encontre. Leur raisonnement était qu'il n'y a pas de fumée sans feu. Cette controverse devait forcément être importante, puisqu'elle faisait l'objet d'un livre ! N'importe qui contestant n'importe quoi, pour les médias, ça reste de l'actualité.

Je me retrouvai sur la défensive. Mais ce que j'avais à défendre m'échappait quelque peu. J'ai passé tellement d'années parmi les ingénieurs et les énarques que ma vision du monde n'est pas tout à fait conforme à celle que les ténors de la presse voudraient imposer. Personnellement, je considère comme un accomplissement majeur le fait de se payer la tête des grandes entreprises à longueur de journée, et de se faire appointer par elles pour venir le faire au grand jour, devant tout le monde. Moi, je trouve ça rigolo. Voire même ironique. Pour les médias, au contraire, c'est le comble de l'hypocrisie.

Ma philosophie s'étend à tous les domaines de ma vie. Si un malfrat m'attaquait, par exemple, et si, par le plus grand des hasards, j'arrivais à le tuer en état de légitime défense, je le dépouillerais de son portefeuille avant de quitter les lieux du crime. Certains appelleraient ça de l'hypocrisie. Moi, j'appelle ça de la saine gestion. Je trouve ça rigolo. Voire même ironique.

Il est clair qu'essayer de discuter de façon logique avec Norman serait hors de propos, dans la mesure où notre conception de ce qui est rationnel diffère en tous points. J'aime autant vous livrer une interview imaginaire de Norman par Dogbert. On pourrait objecter que toutes les réponses attribuées à Norman sont des élucubrations montées de toute pièce. Mais je préfère imaginer que ce sont ses propres termes, simplement sortis de leur contexte. C'est la technique qu'appliquent les critiques ; venant de Norman, ce serait donc faire preuve d'une hypocrisie rare que de venir s'en plaindre. Cela précisé, il est plus que probable qu'à un moment ou à un autre ces mots sont effectivement sortis de la bouche de Norman, même si je vous concède que ce n'était pas forcément dans cette séquence-là. Je m'efforcerai donc de les « rendre » du mieux que je le peux afin de ne pas trahir l'intégrité intellectuelle de son raisonnement.

DOGBERT-SOLOMON, LA RENCONTRE

Dogbert :   Merci d'avoir accepté cette interview, Monsieur Solomon.

Norman :   Je n'ai rien accepté du tout. C'est une interview fabriquée de toute pièce, pour éviter que je ne vous attaque en justice pour diffamation.

Dogbert :   Ma première question sera la suivante : qu'avez-vous fait à vos cheveux ?

Norman :   À mes cheveux ?

Dogbert :   Oui. Je veux dire : votre tête ressemble à un gros champignon tout velu. Vous n'avez pas de miroir, chez vous ?

Norman :   Je ne vois pas le rapport.

Dogbert :   C'est-à-dire que j'ai cru comprendre que votre livre ne s'est pas très bien vendu.

Norman :   Où voulez-vous en venir ?

Dogbert :   N'avez-vous jamais envisagé de louer votre tête aux grandes chaînes hôtelières, pour récurer les vases de nuit ?

Norman :   Comptez-vous me poser des questions sur mon brûlot anti-*Dilbert*, oui ou non ?

Dogbert :   Soit, allons-y. Donc, vous accusez M. Adams d'être favorable aux réductions d'effectifs ?

Norman :   C'est exact. M. Adams est un cynique. Les réductions d'effectifs sont dangereuses.

Dogbert :   Que proposez-vous à la place ?

Norman :   À la place ?

Dogbert :   Est-ce que ça commence par un « c » et se termine avec la chute du Mur ?

Norman :   On devrait interdire aux entreprises d'engager et de licencier à tour de bras simplement pour accroître les bénéfices et permettre à des patrons cupides de s'enrichir !

Dogbert :   Pourriez-vous me citer des pays qui ont tenté d'appliquer votre système économique ? (Tuyau : l'Albanie.)

Norman :   Je reconnais que, parfois, la réduction d'effectifs est incontournable. Mais ce qui me dérange, c'est la *façon* dont on gère le licenciement collectif.

Dogbert :   Vous êtes donc en tous points d'accord avec M. Adams – l'un des détracteurs du plan social les plus bruyants de toute la planète ?

Norman :   Non, non. Cela n'a rien à voir. La seule chose qui intéresse M. Adams, dans la critique des réductions d'effectifs, c'est de prendre de l'argent aux autres. L'homme est un cynique, c'est clair, puisqu'il travaille avec des groupes puissants.

Dogbert : N'est-ce pas vous que j'ai vu faire la promotion de votre livre sur MSNBC*?

Norman : Oui, et alors?

Dogbert : Savez-vous à qui appartient MSNBC?

Norman : Il me semble que ce sont les Restos du Cœur. Je me trompe?

Dogbert : Vous insinuez que M. Adams œuvre contre les travailleurs sous prétexte qu'il ne passe pas autant de temps qu'il le pourrait à critiquer les cadres supérieurs.

Norman : C'est exact. C'est la conclusion logique que les faits permettent d'établir.

Dogbert : Avez-vous jamais publié une critique de la grossesse chez les adolescentes, Monsieur Solomon?

Norman : Je ne vois pas le rapport.

Dogbert : Il est clair que vous êtes favorable à la grossesse chez les adolescentes. Autrement, là, à cet instant précis, vous seriez en train de vous élever contre, au lieu de répondre à cette interview.

Norman : Cessez! Je refuse de poursuivre plus avant cette interview fabriquée de toute pièce!

Norman n'a jamais enregistré de ventes aussi médiocres pour un livre. Pourtant, cela ne suffit pas à le dissuader de

---

* Ndt : Microsoft NBC, chaîne TV accessible via le câble, ou en ligne, via son ordinateur.

poursuivre sa campagne de dénigrement anti-*Dilbert*. Il aggrava son cas au mois de décembre 1997, dans un article paru sur un site Internet, dans lequel il m'accusait des odieux crimes contre l'humanité suivants :

CRIMES REPROCHÉS À SCOTT ADAMS

1. Opposition à l'incompétence

2. Gain d'argent

Une fois résumés, ces délits ne sont guère impressionnants. Mais il se trouve qu'à la lecture de son article – dont il faut sans doute attribuer le choix des termes au fait que son crâne est devenu un repaire d'écureuils – j'ai éprouvé de la haine envers moi-même. J'avais du mal à croire que j'étais devenu un tel individu. Il est vrai que, pour tourner une phrase, Norman s'y entend. Voici une citation dans laquelle il attaque violemment mon goût marqué pour la compétence :

> Au milieu des années 90, *Dilbert* s'est imposé comme une arme furtive contre les travailleurs. Après tout, on a un certain mal à trouver crédibles des dirigeants d'entreprise qui font claquer le fouet. En revanche, une satire intelligente de l'incompétence s'insinue là ou aucun fouet ne pénètre, si bien claqué soit-il.

Si Norman s'oppose aux gens qui sont favorables à la compétence, la logique voudrait qu'il soit favorable à l'incompétence. Voilà une philosophie qui ne doit pas lui rendre la vie facile. Pas étonnant qu'il soit si grincheux. Je me demande comment il s'y prend pour se déplacer en ville. Les prosélytes de la compétence dans mon genre auraient tendance à prendre une voiture ou, pourquoi pas, un vélo. Mais ses écrits prouvent que Norman est plutôt favorable à l'incompétence. Partant de là, j'imagine qu'il se colle des milliers d'oiseaux-mouches sur le corps en espérant qu'ils vont tous voler dans la même direction.

Je suis bien conscient que, à l'heure où vous lirez ce chapitre, Norman Solomon se sera peut-être débarrassé de son « enveloppe charnelle » pour aller suivre la queue d'une comète. Le débat s'est donc peut-être clos de lui-même. Mais, voyez-vous, la tentation d'utiliser Norman à des fins égoïstement capitalistes était trop forte. Je trouve ça rigolo. Voire même ironique. Avec un peu de chance, il va nous sortir une suite.

10

Le revers de
la réussite

Si vous avez l'intention de vous servir des conseils de ce livre pour devenir colossalement riche et célèbre, sachez où vous mettez les pieds. C'est loin d'être aussi « glamour » qu'on pourrait le penser. En homme de service public, je vais vous décrire ma propre vie – vingt-quatre heures dans la vie d'un dessinateur de BD à demi célèbre. Vous déciderez alors si la vie des riches et célèbres est faite pour vous, ou pas.

Pour commencer, quelques informations d'ordre général. Je partage une maison avec Pam, ma copine de toujours. Pam est vice-présidente d'une entreprise de technologie et, pour autant qu'elle sache, ne m'a jamais inspiré le moindre gag pour *Dilbert*.

Une des excentricités notoires de Pam est l'amour irrationnel qu'elle porte à la moquette blanche que nous avons trouvée au sol lorsque nous avons acquis la maison. Enfin, quand je dis blanche, entendez-le dans une acception conceptuelle plutôt que littérale. Voyez-vous, nous avons deux chats, chacun doté d'un orifice à chaque extrémité, lesquels vomissent un feu roulant de trucs répugnants sur la moquette prétendument blanche. La moquette en question est un truc dans lequel les taches s'incrustent à tout jamais, quelle que soit la technologie à laquelle on a recours pour la nettoyer. Le fait est qu'avec le temps, on en est arivé à un motif léopard. Mais, bon, pas éclatant de santé, le léopard.

Cette moquette ne se borne pas à accueillir les taches, elle leur tend les bras. Il suffit que, quelque part en Amérique du Nord, un bourdon lâche une caisse pour qu'aussitôt ma moquette brunisse, par pure sympathie. En clair, le genre de moquette sur laquelle il est dangereux de marcher. De fait, ma moquette est la seule qui soit spécifiquement citée dans le traité international concernant les mines antipersonnel. Une fois par mois, les Nations unies m'envoient une équipe de démineurs qui font ce qu'ils peuvent pour désactiver le plus possible de trucs. Nous avons déjà perdu deux ou trois Espagnols et un Canadien.

Comme je suis celui qui travaille à la maison du soir au matin, il est dans mes attributions de gérer toute nouvelle catastrophe sur la moquette. Cette activité occupe le plus clair de mes heures de veille. Je vaporise, je frotte, je passe un coup de vapeur et, hop!, je recommence l'opération un peu plus loin. Je passe une grande partie de la journée à quatre pattes, à gérer toutes sortes d'expectorations félines. Pour briser le rythme, je change la litière.

Personnellement, j'aurais tendance à penser que la solution la plus évidente consisterait à changer la blanche moquette tant éprise de taches, pour la remplacer par quelque chose de notre siècle – un truc qui résiste aux taches, par exemple. Le confort moderne, ça existe. De cette façon, la moquette serait d'un entretien facile, et, une fois le ménage fait, on aurait plaisir à la regarder.

Mais Pam aime notre moquette « blanche ». Impossible de la lui ôter ça de la tête. De fait, je vis comme un serf du Haut Moyen Âge, rampant dans les odeurs nauséabondes et les souillures de débris animaliers. Parfois, je me prends à rêver que l'un des hommes du roi passe au triple galop et met un terme à mon agonie en me décapitant d'un ample coup de glaive.

En attendant, mes chats perdent leurs poils, tels des dents-de-lion sur le retour, un jour d'ouragan. Freddie est même capable de viser et de cracher une sorte de flèche de poils durcis, tel le super-héros moyen. À l'heure où j'écris ceci, il est en train de retapisser la causeuse.

L'autre problème majeur, quand on est célèbre, c'est que les gens insistent pour vous envoyer des trucs dont vous ne voulez pas. Dans la mesure où, le plus souvent, cela part d'un bon sentiment, je suis un peu gêné de m'en plaindre. Mais qui aurait pensé que le problème puisse prendre une telle ampleur ? Pas moi, en tout cas. C'est là un inconvénient majeur – et parfaitement imprévu – de la vie de dessinateur de BD semi-célèbre.

CONVERSATION-TYPE D'UNE JOURNÉE ORDINAIRE

**L'inconnu(e)
bien intentionné :** J'ai cru comprendre que vous aviez des chats.

Moi : Oui.

**L'inconnu(e)
bien intentionné :** Quelle est votre adresse postale ? Je vais vous mettre au courrier quelques poèmes que j'ai écrits sous l'emprise de l'alcool. Ça parle justement de chats. Vous allez adorer.

Moi : Euh...

**L'inconnu(e)
bien intentionné :** Sinon, je connais un type qui sculpte des statuettes d'animaux dans des pommes de terre. Je lui demanderai de vous faire des chats. Quand est-ce que je passe vous les déposer ?

Moi : Euh...

Voilà à quoi ressemble ma vie. En clair, je nettoie des souillures de chat et je m'efforce d'éviter les inconnus bien intentionnés. Si ce genre de choses vous interpelle, alors n'hésitez pas une seconde : foncez. Suivez les conseils de ce livre et transformez votre bonheur en argent, en célébrité et en réussite. Simplement, on vous aura prévenu. Alors ne venez pas vous plaindre après coup.

Postface
irrévocable

Freddie, le chat susmentionné, s'en est allé au paradis des chats alors que je mettais la touche finale à ce livre. Il demandait une maintenance soutenue mais, sur mon lieu de travail, il constituait ma source de joie numéro un. Je troquerais volontiers une année entière de nettoyage de moquette souillée en échange de dix petites minutes supplémentaires avec lui.

S'agissant de la quête du bonheur, j'ai énormément appris de Freddie. Pour lui, faire une sieste allongé bien au chaud sur le moniteur de mon ordinateur, ou taquiner une chaussette de bébé bourrée d'herbe à chats, suffisait à ensoleiller sa journée. Même arrivé au crépuscule de sa vie, il n'a jamais raté une occasion de trouver – ou de donner – la joie. Quel que soit le nombre d'allées et venues que je pouvais faire dans une journée, Freddie arrivait tant bien que mal à traîner son corps frêle jusqu'au bas des escaliers, puis jusqu'à la porte, pour me faire la fête chaque fois que je rentrais. Quand il mangeait, il le faisait avec un enthousiasme tel qu'on aurait dit qu'il goûtait de la nourriture pour la première fois de sa vie. Quand je le brossais, il ronronnait comme une tondeuse à gazon. Il vivait l'instant, pleinement, jusqu'à ce que l'instant s'envole.

Mon ultime conseil – et le seul de ce livre qui ne vous coûtera pas un licenciement, une comparution en justice ou une bonne dérouillée –, c'est de prendre un animal de compagnie si vous n'en avez pas déjà un. Chaque jour, il y aura au moins une chose dont vous pourrez vous féliciter. Votre job continuera peut-être à craindre, mais il craindra un peu moins. Si vous avez déjà un animal de compagnie, faites-lui un câlin. Là, tout de suite. Vous avez fini votre livre. Vous n'avez aucune excuse. Le bonheur est là, camarades.

Achevé d'imprimer en novembre 1998
dans les ateliers de Normandie Roto Impression s.a.
61250 Lonrai
N° d'imprimeur : 982683
dépôt légal : novembre 1998

Imprimer en France